Le guide d

L'inglese per viaggiare

MANUALE DI CONVERSAZIONE

 4000 PAROLE

 2000 FRASI

GIUNTI

Ideazione, redazione e coordinamento
Paolo Piazzesi

Hanno collaborato:

traduzione
Stephanie Johnson
e Michael Barbour

fonetica
Letizia Vezzosi

progetto grafico della copertina
Rocío Isabel González

grafica
Fabio Campetti BCP Associati Designers, Firenze

illustrazioni
Stefano Grisieti, Studio Bertram, Firenze

fotocomposizione
Thèsis, Firenze

stampa
Giunti Industrie Grafiche, Prato

L'Editore e l'Autore ringraziano il Prof. Alberto Nocentini del Dipartimen
di Linguistica dell'Università di Firenze per i preziosi suggerimen
Ringraziano inoltre Pierandrea Bongiorno e Cecilia Picchi per la colla
borazione redazionale.

ISBN 88-09-45303-4

ISTRUZIONI PER L'USO

Questo prontuario di conversazione, di nuova concezione, contiene circa 4000 termini e oltre 2000 frasi, ripartiti in 5 AREE (CAPIRE, VIAGGIARE, VIVERE, RISOLVERE, SCOPRIRE) ciascuna suddivisa in più SITUAZIONI. Ognuna di esse corrisponde alle concrete situazioni e alle esigenze, normali o eccezionali, che si presentano durante viaggi e permanenze all'estero.
Le frasi sono ordinate secondo l'andamento che, prevedibilmente, il dialogo assumerà nella realtà. *Nell'ambito di ogni situazione è concentrata tutta la gamma di termini e di frasi che essa può richiedere.* Alle domande e alle richieste del turista sono opportunamente intercalati gli interventi dell'interlocutore straniero, là dove è probabile o necessario che essi si verifichino. Abbiamo dato grande spazio e rilievo alle indicazioni necessarie per pronunziare correttamente i termini stranieri e farsi capire immediatamente.
Per individuare ciascuna Situazione all'interno del prontuario, utilizzate il dettagliatissimo SOMMARIO (a pag. seguente); per soddisfare immediatamente una determinata esigenza o trasformarlo in un dizionarietto, consultate l'INDICE DI PRONTO IMPIEGO (pag. 191).

COME SI LEGGE IL PRONTUARIO

- in tondo (carattere normale) le parole e le frasi italiane;
- in **grassetto tondo** le relative traduzioni;
- nei lessici di ogni situazione, in terza colonna, la trascrizione in Alfabeto Fonetico Internazionale; le istruzioni per leggere i segni AFI e la trascrizione fonetica si trovano nelle "Norme elementari per la pronuncia" (pag. 7).
- in ***grassetto corsivo*** (colore rosso), domande e risposte degli interlocutori stranieri o i testi di cartelli e avvisi sonori;
- in *corsivo chiaro* le traduzioni di queste frasi e degli avvisi.

NON DIMENTICATEVI CHE...

- alcune frasi prevedono varie alternative, segnalate da puntini di sospensione: sarà cura dell'utente scegliere la soluzione confacente, utilizzando i termini dei lessici relativi e quelli contenuti nell'Area 1 (vedi oltre).
- il frasario è anche un *tramite materiale* di comunicazione con l'interlocutore. In caso di difficoltà, è consigliabile infatti ***mostrarne le pagine indicando la parola o la frase che si intende comunicare*** (troverete la "formula magica" a pag. 143); oppure chiedere al nostro interlocutore di fare lo stesso per indicarci la risposta o la soluzione al nostro quesito.

SOMMARIO

La consultazione di questo articolatissimo SOMMARIO è una **guida** infallibile per orientarvi fra Aree e Situazioni e individuare (*soprattutto in anticipo*) le pagine dove si trovano i termini che vi serviranno. Complementare al sommario, l'**INDICE DI PRONTO IMPIEGO** (pag. 191) è una **scorciatoia** per raggiungere immediatamente la parola o la frase che vi occorrono in un dato momento, e una **chiave** per usare il prontuario come un dizionarietto. Volete sapere come si dice "Buona notte" in inglese? Cercate nell'indice la classe relativa ("Saluti") e nel lessico di pagina 18 troverete che si dice "Goodnight". Non dimenticate di cercare anche fra le "Parole utili nel viaggio" (Area 1.4, pp. 20-26), dove ci sono senza dubbio il sostantivo, l'aggettivo, il verbo e l'avverbio che fanno al caso vostro e che vi permettono sia di integrare a dovere le frasi a opzione aperta (*segnalata da puntini di sospensione*) che di comporre da soli nuove frasi!

NORME ELEMENTARI PER LA PRONUNCIA

L'inglese è la lingua ufficiale di moltissimi stati sparsi nei cinque continenti ed è compreso in quasi tutti i paesi del mondo. Data la sua enorme diffusione, esso presenta molte varianti regionali, sia per quanto riguarda la pronuncia che le espressioni. Questo frasario rispetta la Received Pronunciation (Pronuncia Standard).

La pronuncia dell'inglese presenta parecchie difficoltà per uno straniero, perché è molto irregolare (contrariamente alla grammatica e alla sintassi, abbastanza elementari). A parte il fatto, non di poco conto, che diversi suoni non trovano equivalenti nella nostra lingua, non vi è, in inglese, una rigorosa corrispondenza fra segni e suoni: infatti ad una stessa grafia può corrispondere più di una pronuncia. Come fare? Soltanto l'uso e la consuetudine, oltre ai dizionari, potranno trarci d'imbarazzo. Pertanto qui verranno fornite non tanto strette regole di pronuncia, quanto indicazioni relative agli usi fonetici più frequenti.

Nel prospetto e negli esempi che seguono, ad ogni suono corrisponde una precisa grafia, rappresentata con la trascrizione fonetica AFI (Alfabeto Fonetico Internazionale) facilitata. Sarete in grado così di distinguere e pronunziare correttamente tutti i suoni e qualsiasi parola.

Indichiamo qui alcune basilari norme AFI:

il segno [:] indica l'allungamento del suono corrispondente.

[ks] corrisponde al suono italiano X di *taxi*

[ə] è il simbolo fonetico di una vocale indistinta inesistente in italiano, dal suono simile a quello d'una E chiusa che, pronunciata arrotondando le labbra, tenda verso la O.

La decifrazione dei suoni corrispondenti agli altri segni IPA è molto semplice, facendo attenzione agli esempi di volta in volta proposti.

L'alfabeto inglese è composto dalle seguenti 26 lettere:

A	ei	B	bi:	C	si:
D	di:	E	i:	F	ef
G	dʒi:	H	eitʃ	I	ai
J	dʒei	K	kei	L	el
M	em	N	en	O	ou
P	pi:	Q	kiu:	R	a:
S	es	T	ti:	U	iu:
V	vi:	W	dabliu:	X	eks
Y	uai	Z	zed		

LE VOCALI

rappr. graf.	rappr. fonet.	esempio inglese	pronu. appr.	posizione e osservazioni
a	[æ]	cat	kæt	Davanti alle consonanti. Suono intermedio fra una A e una E aperta
	[a:]	bar	ba:	Davanti alla lettera R. Come il suono A in italiano
	[ei]	race	reis	Davanti a una consonante

				seguita da una vocale. Come il suono EI di *quei*
	[ɔ:]	m**a**ll	mɔ:	Davanti alla lettera L. Come il suono O di *molto*
e	[e]	b**e**st	best	Davanti a una consonante finale o a due consonanti. Come il suono E di *festa*
	[i:]	th**e**se	ði:z	Davanti a una consonante seguita da vocale. Come il suono I in itallaliano
	[j]	Ind**i**an	indjən	Semiconsonante palatale articolata come il suono di I in *ieri* .
	[muta]	min**e**	main	In fine di parola
i	[i]	th**i**s	ðis	Davanti a una consonante finale. È un suono breve intermedio fra la I e la E italiane
	[ai]	m**i**ne	main	Davanti a una consonante seguita da una vocale. Come il suono AI di *mai*
o	[ɒ]	n**o**t	nɒt	Davanti a una consonante finale o a due consonanti. Come una O molto aperta così da assomigliare ad A
	[əu]	b**o**th	bəuθ	Perlopiù davanti a consonante seguita da una vocale, o a una consonante.
	[ʌ]	m**o**ther	mʌðə	In alcuni casi. Non esiste in italiano; suono intermedio tra la a e la o
u	[ʌ]	m**u**ch	mʌtʃ	Davanti a due consonanti o una consonante finale. Come sopra.
	[u]	p**u**t	put	Perlopiù nei monosillabi. Come il suono U in italiano
	[ju:]	d**u**ne	dju:n	Davanti a una consonante seguita da una vocale. Come il suono IU di *più* allungato
y	[j]	**y**et	jet	All'inizio della parola. Come il suono I italiano in *ieri.*
	[ai]	b**y**	bai	Perlopiù nei monosillabi. Come il suono AI di *mai*
	[i]	pure**ly**	pjuəli	Nelle altre posizioni. Come il suono I in italiano

GRUPPI DI LETTERE

rappr. graf.	rappr. fonet.	esempio inglese	pronu. appr.	posizione e osservazioni
ai-ay	[ei]	p**ay**	pei	Come il suono EI di *quei*
aw	[ɔ:]	p**aw**	pɔ:	Come il suono O di *organo*
ou	[u:]	y**ou**	iu:	Come il suono U italiano

ea-ee-ei	[i:]	ch**ea**p	tʃi:p	Come il suono I italiano
ew	[ju:]	n**ew**	nju:	Come il suono IU di *più*
er-ir-re	[ə]	fath**er**	fa:ðə	Di solito in fondo alla parola. Non esiste un suono italiano corrispondente. È un suono breve, intermedio fra una E chiusa e una O pronunciata senza arrotondare le labbra
ere	[iə]	h**ere**	hiə	Non esiste un suono italiano corrispondente. Vedi sopra l'esempio di *father*
igh	[ai]	m**igh**t	mait	Come il suono AI di *mai*
ng	[ŋ]	ri**ng**	riŋ	Perlopiù in fondo alla parola. È una N particolarmente nasale
oa	[əu]	b**oa**t	bəut	Non esiste in italiano. Assomiglia a OU in *noumeno*
oo	[u:]	b**oo**m	bu:m	Come il suono U italiano
	[u]	b**oo**k	buk	Come il suono U italiano
our	[ɔ:]	f**our**	fɔ:	Come il suono O di *oggi*
ch	[tʃ]	**ch**ange	tʃeindʒ	Come il suono C di *cena*
ph	[f]	**ph**oto	foutou	Come il suono F italiano
sion	[ʒ]	vi**sion**	viʒən	Come il suono della G in *beige*
sh	[ʃ]	**sh**e	ʃi:	Come il suono SC in *scena*
tion	[ʃ]	sta**tion**	steiʃən	Vedi sopra
th	[ð]	**th**is	ðis	Interdentale sonora. Suono prossimo alla D, pronunziata mettendo la lingua fra i denti e facendola vibrare
	[θ]	**th**ick	θik	Interdentale sorda. Suono prossimo alla T, pronunziata mettendo la lingua fra i denti ed emettendo l'aria senza farla vibrare
er/ir/or/ur	[ɜ:]	w**o**rk	wɜ:k	Non esiste in italiano; assomiglia ad un suono intermedio tra la O aperta e la e aperta. È sempre lunga.
ssure/ ssion	[ʃ]	pre**ssure**/ oppre**ssion**	preʃə / ɒpreʃən	
sure	[ʒ]	plea**sure**	pleʒə	
ou	[au]	l**ou**d	laud	Come AU in a*uspicio.*

LE CONSONANTI

rappr. graf.	rappr. fonet.	esempio inglese	pronu. appr.	posizione e osservazioni
b	[b]	**b**ig	big	Come il suono B italiano
c	[s]	**c**inema	sinəmə	Davanti alle lettere E, I, Y. Come

				il suono S di *sera*
	[k]	**co**ffee	kɔfi	Negli altri casi. Come il suono C in *casa*
d	[d]	**d**ate	deit	Come il suono D italiano. Pronunciato appoggiando la lingua al palato anteriore e non sui denti
f	[f]	**f**or	fɔ:	Come il suono F italiano
g	[dʒ]	**ge**neral	dʒenərəl	Davanti alle lettere E, I e Y. Come il suono G di *gita*
	[g]	**gi**ve	giv	Davanti alle lettere E, I, Y
		go	gou	e negli altri casi. Come il suono GH di *ghiro*
h	[h]	**h**ouse	haus	È il suono H velare, appoggiato sul palato posteriore. Non esiste un suono italiano corrispondente
j	[dʒ]	**J**ohn	dʒɔn	Come il suono G di *giorno*
k	[k]	**k**ey	ki:	Come il suono CH di *chi*
	muta	**kn**ow	nou	Davanti alla lettera N
l	[l]	**l**ittle	litl	Come il suono L taliano
m	[m]	**m**oney	mani	Come il suono M italiano
n	[n]	**n**o	nou	Come il suono N italiano
p	[p]	**p**rice	prais	Come il suono P italiano
q	[kw]	**qu**estion	kwesʃən	Come il suono di QU in *questo*
r	[r]	**r**oom	ru:m	Prima di una vocale. La pronuncia è simile a quella del suono R italiano, ma più debole: la lingua sfiora appena il palato
s	[s]	**p**urse	pɜ:s	Come il suono S in *sera*
t	[t]	**t**able	teibl	Come il suono T in italiano, ma appoggiando la lingua al palato anteriore anziché sui denti
w	[w]	**w**as	wɔz	Si pronuncia come la U italiana (ad esempio, come *whisky*)
x	[ks]	ta**x**i	tæksi	Come il suono X italiano
z	[z]	**z**ero	zi:rou	Come la S di *rosa*

VERBI AUSILIARI INGLESI

I (io)	am (sono)	have (ho)
you (tu)	are (sei)	have (hai)
he, she, it (egli, ella, esso)	is (è)	has (ha)
we (noi)	are (siamo)	have (abbiamo)
you (voi)	are (siete)	have (avete)
they (essi, esse)	are (sono)	have (hanno)

AREA 1. CAPIRE

1.1 IL TEMPO E LE SUE SUDDIVISIONI

1.2 IL TEMPO METEOROLOGICO

1.3 VOCABOLARIO “QUOTIDIANO”

1.4 PAROLE UTILI NEL VIAGGIO

1.5 CARTELLI E SEGNALI

1.6 NUMERI, PESI E MISURE

1.7 COLORI E SFUMATURE

1.8 ESIGENZE PARTICOLARI

In quest’Area, nella quale il lessico prevale sul frasario, si elencano i termini e le espressioni di uso più comune, che compongono quel vocabolario di base indispensabile in ogni paese per capire, farsi capire e comunicare in qualsiasi momento. **È importante sottolineare che questa sezione completa e integra le successive**: ad esempio, se vorrete sapere come pronunziare i numeri e le cifre, indispensabili quando telefonate o pagate, dovrete trovarli qui (nelle frasi delle Aree seguenti, infatti, al posto delle cifre troverete dei puntini di sospensione, che indicano la necessità di completare la proposizione); se vorrete imparare i nomi dei giorni per prenotare camere o tavoli, o come si chiede e si dice l’ora, dovrete cercare qui; se vorrete memorizzare le ordinarie espressioni di cortesia indispensabili per porgere qualsiasi tipo di quesito, dovrete farlo qui. A proposito, attenzione: è difficile (per non dire impossibile) ottenere alcunché senza pronunciare la parola magica: **please**.

1.1 IL TEMPO E LE SUE SUDDIVISIONI

tempo (astron.)	**time**	'taim
alba	**dawn**	'dɔ:n
aurora	**sunrise**	'sʌnraiz
mattino	**morning**	'mɔ:niŋ
mezzanotte	**midnight**	'midnait
mezzogiorno	**midday**	'middei
notte	**night**	'nait
pomeriggio	**afternoon**	ˌa:ftənú:n
sera	**evening**	'i:vniŋ
tramonto	**sunset**	'sʌnset
anno	**year**	'jiə
data	**date**	'deit
equinozio	**equinox**	'i:kwinɒks
giorno	**day**	'dei
mese	**month**	'mʌnθ
minuto	**minute**	'minit
ora	**hour**	'auə
secolo	**century**	'sentʃuri
secondo	**second**	'sekənd
settimana	**week**	'wi:k
stagione	**season**	'si:zn

LOCUZIONI TEMPORALI DI USO COMUNE

a giorni alterni	**alternate days**	ˌɔ:ltέnət'deiz
domani	**tomorrow**	təmɒ́rəu
domattina	**tomorrow morning**	təmɒ́rəu'mɔ:niŋ
domani sera	**tomorrow evening**	təmɒ́rəu 'i:vniŋ
dopodomani	**the day after tomorrow**	´θə'dei'a:ftə təmɒ́rəu
due giorni fa	**two days ago**	tu:'deiz əgə́u
entro il mese	**before the end of the month**	bifɔ́: θi end ɒv θə'mʌnθ
ieri	**yesterday**	'iestədei
il mese prossimo	**next month**	'nekst'mʌnθ
il mese scorso	**last month**	last'mʌnθ
in mattinata	**in the morning**	in θə'mɔ:niŋ
in serata	**in the evening**	in θi'i:vniŋ
oggi	**today**	tədéi
quest'anno	**this year**	θis'jiə
questa settimana	**this week**	θis'wi:k
stamattina	**this morning**	θis'mɔ:niŋ
stanotte	**tonight**	tənáit
stasera	**this evening**	θis'i:vniŋ
una volta alla settimana	**once a week**	wans ə'wi:k

1.

L'ORARIO (ORE E MINUTI)

Che ore sono?
What is the time? hwɒt iz θə'taim

Sono le … .
It's … its

… tre (in punto).
… **three o'clock (exactly)** θri: ə'klɒk igzǽktli

… tre e cinque.
… **five past three.** faiv past θri:

… tre e dieci.
… **ten past three.** ten past θri:

… tre e un quarto.
… **a quarter past three.** ə'kwɔ:tə past θri:

… tre e venticinque.
… **twenty-five past three.** 'twenti faiv past'θri:

… tre e mezza.
… **half past three.** 'ha:f past θri:

… quattro meno venti.
… **twenty to four.** 'twenti tu'fɔ:

… quattro meno un quarto.
… **a quarter to four.** ə'kwɔ:tə tu fɔ:

È mezzogiorno/mezzanotte.
It's midday/midnight.

A che ora?
At what time?

Alle sette e mezza di mattina.
At half past seven in the morning.

Alle nove e un quarto di sera.
At a quarter past nine in the evening.

Dalle nove alle tre. [9.00 - 15.00]
From nine am to three pm.

QUANDO? GIORNO E DATA

Fino a quando?
Until when?

Fino a domani.
Until tomorrow.

Che giorno è oggi?
What day is it today?

Oggi è sabato. È il 23 Aprile 1995.
Today it's Saturday. It's the twenty-third of April nineteen ninety five.

Ogni martedì.
Every Tuesday.

1.1 IL TEMPO E LE SUE SUDDIVISIONI

In che mese?
In which month?

In agosto.
In August.

Per quanto tempo?
For how long?

Con che frequenza?
How often?

Quanto tempo fa?
How long ago?

Cinque giorni fa.
Five days ago.

Fra cinque giorni.
In five days' time.

GIORNI DELLA SETTIMANA

lunedì	**Monday**	ˈmʌndei
martedì	**Tuesday**	ˈtju:zdei
mercoledì	**Wednesday**	ˈwenzdei
giovedì	**Thursday**	ˈθɜ:zdei
venerdì	**Friday**	ˈfraidei
sabato	**Saturday**	ˈsætədei
domenica	**Sunday**	ˈsʌndei

MESI

gennaio	**January**	ˈdʒænjuəri
febbraio	**February**	ˈfebruəri
marzo	**March**	ˈma:tʃ
aprile	**April**	ˈeiprəl
maggio	**May**	ˈmei
giugno	**June**	ˈdʒu:n
luglio	**July**	dʒu:lái
agosto	**August**	ˈɔ:gəst
settembre	**September**	septémbə
ottobre	**October**	ɒktəúbə
novembre	**November**	nəuvémbə
dicembre	**December**	disémbə
alta stagione	**high season**	haiˈsi:zn
bassa stagione	**low season**	ləu si:zn

LE STAGIONI

inverno	**winter**	ˈwintə
primavera	**spring**	ˈspriŋ
estate	**summer**	ˈsʌmə
autunno	**autumn**	ˈɔ:təm

1.1 IL TEMPO E LE SUE SUDDIVISIONI

FESTIVITÀ E RICORRENZE

Capodanno	**New Year's Day**	nju:ˈjiəz dei
Epifania	**Epiphany**	ˈipifəni
Carnevale	**Carnival**	ˈka:nivəl
Giorno del Ringraziamento	**Thanksgiving**	ˈθænksgiviŋ
Giovedì grasso	**Thursday before Lent**	ˈθɜ:zdei bifɔ́: ˈlent
Martedì grasso	**Shrove Tuesday**	ˈʃrəuvˈtju:zdei
Mercoledì delle ceneri	**Ash Wednesday**	ˈæʃˈwenzdei
Domenica delle Palme	**Palm Sunday**	ˈpa:mˈsʌndei
Settimana Santa	**Holy Week**	ˈhəuliˈwi:k
Giovedì Santo	**Maundy Thursday**	ˈmɔ:ndiˈθɜ:zdei
Venerdì Santo	**Good Friday**	gu:d ˈfraidei
Sabato Santo	**Holy Saturday**	ˈhəuliˈsætədei
Pasqua	**Easter**	ˈi:stə
Lunedì dell'Angelo	**Easter Monday**	ˈi:stəˈmʌndei
Festa del lavoro	**Labour Day**	ˈleibə dei
Corpus Domini	**Corpus Christi**	ˈkɔ:pəsˈkristi
Pentecoste	**Whit Sunday**	witsʌndei
Ferragosto	**Feast of the Assumption**	ˈfi:st ɒv θi əsʌmpʃən
Ognissanti	**All Saints**	ɔ:lˈseints
Natale	**Christmas**	ˈkristməs
Santo Stefano	**Boxing Day**	ˈbɒksiŋdei
San Silvestro	**New Year's Eve**	ˈnju: jiəz i:v
festivo	**weekend**	ˈwi:kend
feriale	**weekday**	ˈwi:kdei

LOCUZIONI E AVVERBI DI TEMPO

adesso/ora	**now**	nau
da poco/molto	**recently/long ago**	ˈri:səntli / lɒŋ əgəú
fra poco	**soon**	su:n
in anticipo/ritardo	**early/late**	ˈɜ:li /ˈleit
per poco tempo	**for a short time**	fɔ: əˈʃɔ:t taim
presto/tardi	**early/late**	ˈɜ:li / leit
prima/dopo	**before/after**	bifɔ́: /ˈa:ftə
prossimo	**next**	nekst
qualche volta	**sometimes**	ˈsʌmtaimz
sempre/mai	**always/never**	ˈɔ:lweiz /ˈnevə
spesso	**often**	ˈɒfn
subito	**immediately**	ˈimi:diətli
tempo fa	**long ago**	lɒŋ əgəú

1.2 IL TEMPO METEOROLOGICO

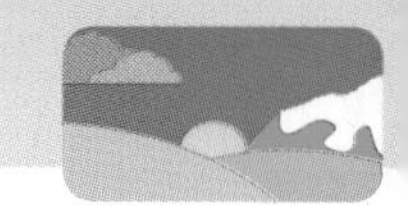

afa	**mugginess**	ˈmʌginəs
bufera di neve	**blizzard**	ˈblizəd
caldo/molto c.	**hot/warm**	hɒt / wɔ:m
clima	**climate**	ˈklaimit
freddo	**cold**	kəuld
ghiaccio	**ice**	ais
grandine	**hail**	heil
nebbia	**fog**	fɒg
neve	**snow**	snəu
nuvoloso	**cloudy**	ˈklaudi
pioggia	**rain**	rein
secco	**dry**	drai
sereno	**clear**	kliə
sole	**sun**	sʌn
temperatura	**temperature**	ˈtempritʃə
temporale	**storm**	stɔ:m
umido	**humid/damp**	ˈhju:mid/d˛mp
vento	**wind**	wind

Che tempo fa?
What's the weather like?

Fa bello/brutto.
It's fine/bad.

Fa caldo/freddo.
It's hot/cold.

Tira vento.
It's windy.

Piove.
It's raining.

Nevica.
It's snowing.

C'è nebbia
There's a mist/fog.

È sereno.
It's clear.

Che tempo farà domani?
What will the weather be like tomorrow?

Quanti gradi ci sono?
What's the temperature?

Ci sono 30°C all'ombra.
It's thirty degrees Celsius in the shade.

1.3 VOCABOLARIO "QUOTIDIANO"

FORMULE COLLOQUIALI E DI CORTESIA

Queste locuzioni, fra le quali quelle consuete di cortesia, integrano le frasi di ogni situazione, così come nel comune conversare. Dovunque è buona norma chiedere e concedere "per piacere" e ringraziare. Non dimenticate che una richiesta, per avere probabilità d'essere esaudita, deve concludersi col classico "please".

Sì.	**Yes.**	jes
No.	**No.**	nəu
Sì, per favore.	**Yes please.**	jes'pli:z
No, grazie.	**No thank you.**	nəu'θænk ju:
Per favore.	**Please.**	'pli:z
Grazie.	**Thank you**	'θænk ju:
Prego.	**Please/Thank you.**	pli:z / 'θænk ju:
Di niente.	**Not at all.**	nɒt æt ɔ:l
Mi scusi.	**Excuse me.**	ikskjú:s mi:
Mi dispiace.	**I'm sorry.**	aim sɒri
Si accomodi.	**Take a seat.**	teik ə si:t
Passi pure.	**Come in/Go ahead.**	cʌm in / gəu əhèd
Permesso? (*per entrare*)	**May I come in?**	mei ai cʌm in
Permesso! (*per passare*)	**Excuse me!**	ikskjú:s mi:
Entri.	**Come in.**	cʌm in
Non si preoccupi.	**Don't worry.**	dəunt'wʌri
Sono italiano/ straniero	**I'm Italian/ I'm a foreigner.**	aim 'itæliən / aim ə'fɒrənə
Potrei ... ?	**May I ... ?**	mei ai
Potrebbe ... ?	**Could you ... ?**	kud ju:

DOMANDE RICORRENTI

Che cosa significa?	**What does it/ that mean?**	hwɒt dʌz it θæt mi:n
Che cosa?	**What?**	hwɒt
Che ha detto?	**What did you say?**	hwɒt did ju: sei
Chi è?	**Who is it/he/she?**	hu: iz it / hi: / ʃi:
Chi?	**Who?**	hu:
Come?	**What did you say?/**	hwɒt did ju: sei /
Come? (modo)	**How?**	hau
Dove?	**Where?**	hweə
Dov'è?	**Where is it?**	hweə iz it
Perché?	**Why?**	hwai
Qual è?	**Which one is it/he/ she?**	hwitʃ wan iz it / hi: / ʃi:
Quale?	**Which?**	hwitʃ
Quando?	**When?**	hwen
Quanto? Quanti?	**How much/many?**	hau mʌtʃ /'meni

1.3 VOCABOLARIO "QUOTIDIANO"

SALUTI, AUGURI E CONGRATULAZIONI

Buongiorno.	**Hello.**	hələú
Buonasera.	**Good afternoon/ good evening.**	gu:dˌa:ftənú:n / gu:dˈi:vniŋ
Buona notte.	**Goodnight.**	gu:dnáit
Arrivederci.	**Goodbye.**	ˈgu:dbai
Ciao.	**Bye.**	bai
Buon viaggio.	**Bon voyage/Have a nice trip.**	bɒnˈvwajaʒ / hæv əˈnaisˈtrip
Buona fortuna.	**Good luck.**	gu:d lʌk
A presto.	**See you soon.**	si: ju: su:n
A più tardi.	**See you later.**	si: ju: leitə
A stasera.	**Until this evening.**	ʌntíl θisˈi:vniŋ
A domani.	**Until tomorrow.**	ʌntíl təmɒ́rəu
Tanti auguri!	**Best wishes!**	best wiʃiz
Complimenti!	**Well done/ congratulations!**	wel dʌn / kəngrǽtjulaʃən
Buon compleanno!	**Happy birthday!**	hæpi ˈbɜ:θdei
Buon Natale!	**Merry Christmas!**	ˈmeriˈkrisməs
Felice anno nuovo!	**Happy New Year!**	ˈhæpi nju: jiə
Buona Pasqua!	**Happy Easter!**	ˈhæpiˈi:stə
Come sta?	**How are you?**	hau a: ju:
Bene, grazie e Lei?	**Well thank you, and you?**	welˈθænk ju: ənd ju:
Bene.	**Well.**	wel
Abbastanza bene.	**Quite well.**	ˈkwait wel
Non c'è male.	**Not bad.**	nɒt bæd

ESPRESSIONI DI APPROVAZIONE E APPREZZAMENTO ...

Certamente.	**Certainly.**	ˈsɜ:tənli
Volentieri.	**Happily.**	ˈhæpili
Bene.	**Good.**	gu:d
Benissimo.	**Very good.**	ˈveriˈgu:d
Ottimo.	**Excellent.**	ˈeksələnt
Con molto piacere.	**With great pleasure.**	wið greit ˈpleʒə
Che bello!	**How nice!**	hau nais
Bravo!	**Well done!**	wel dʌn
Vero.	**Indeed.**	indí:d
Giusto.	**Right.**	rait
Sono contento.	**I'm pleased.**	aim pli:zd
Sono stato bene.	**That was nice.**	θæt wɒz nais
Lei ha ragione.	**You're right.**	juəˈrait

Mi piace/ è piaciuto.	**I like/ liked it.**	ai laik / laikt it

... E DI NEGAZIONE E DISAPPROVAZIONE

Mai.	**Never.**	ˈnevə
Niente.	**Nothing.**	nʌθiŋ
Male.	**Bad.**	bæd
Orribile.	**Terrible.**	ˈteribəl
Che brutto!	**How awful!**	hauˈɔ:ful
Purtroppo.	**Unfortunately.**	ʌnfɔ́:tʃnətli
Non sono d'accordo.	**I don't agree.**	ai dəunt əgrí:
È sbagliato.	**You're wrong/ mistaken.**	juə rɒŋ / mistéikən
Per niente.	**Not at all.**	nɒt æt ɔ:l
Che peccato!	**What a pity!**	hwɒt əˈpiti
Che sfortuna!	**What bad luck!**	hwɒt bæd lʌk
Lei ha torto.	**You're quite wrong.**	juə kwait rɒŋ
Non mi piace/ piaciuto	**I don't like/ didn't like it.**	ai dəunt laik / didnt laik it
Sono insoddisfatto	**I'm dissatisfied.**	aim disǽtisfai
Sono arrabbiato.	**I'm cross/angry.**	aim krɒs /ˈæŋgri

PRONOMI PERSONALI (soggetti e oggetti)

io	**I, me**	ai, mi:
tu	**you**	ju:
lui	**he, him**	hi:, hi:m
lei	**she, her**	ʃi:, hɜ:
esso	**it**	it
noi	**we, us**	wi:, ʌz
voi	**you**	ju:
loro	**they, them**	ðei, ðeim

PRONOMI E AGGETTIVI POSSESSIVI

mio	**my, mine**	mai, main
tuo	**your, yours**	jɔ:, ɔ:s
suo (di lui)	**his**	hiz
suo (di lei)	**her, hers**	hɜ:, hɜ:z
suo (di esso)	**its**	its
nostro	**our, ours**	auə, auə:z
vostro	**your, yours**	jɔ:, ɔ:s
loro	**their, theirs**	ðeə, ðeəz
proprio	**own**	əun

1.4 PAROLE UTILI NEL VIAGGIO

I CENTO SOSTANTIVI INDISPENSABILI

acqua	**water**	ˈwɔ:tə
affari	**business**	ˈbiznis
amico/a	**friend**	frend
andata e ritorno	**return**	ritɜ́:n
appuntamento	**appointment**	əpɔ́intmənt
arrivo	**arrival**	əráivəl
assicurazione	**insurance**	ˈinʃuərəns
bagaglio	**luggage**	ˈlʌgidʒ
bambino/a	**child**	ˈtʃaild
biglietteria	**ticket office/ box office**	ˈtikitˈɒfis / ˈbɒksˈɒfis
biglietto (*per viaggio*)	**ticket**	ˈtikit
biglietto (*per manifestazione*)	**ticket/seat**	ˈtikit / si:t
cambio	**exchange**	ikstʃéindʒ
cameriere/a	**waiter/waitress**	ˈweitə /ˈweitris
carta d'imbarco	**boarding card**	ˈbɔ:diŋˈka:d
carta di credito	**credit card**	ˈkredit ka:dˈ
carta d'identità	**identity card**	aidéntitiˈka:d
casa	**house/home**	ˈhauz / həum
chiave	**key**	ki:
città	**city**	ˈsiti
cognome	**surname**	ˈsɜ:neim
coincidenza	**connection**	kənékʃn
conferma	**confirmation**	ˌkɒnfəméiʃn
conto	**account**	əcáunt
denaro	**money**	ˈmʌni
deposito (*in denaro*)	**deposit**	dipɒ́zit
deposito bagagli	**left luggage**	leftˈlʌgidʒ
documento	**document/ identity document**	ˈdɒkjumənt / aidéntiti ˈdɒkjumənt
dogana	**customs**	ˈkʌstəms
domanda	**application**	ˌplikéiʃn
donna	**woman**	ˈwumən
estero	**abroad**	əbrɔ́:d
facchino	**porter**	ˈpɔ:tə
ferie	**holiday**	ˈhəulidei
figlio/a	**son/daughter**	sɒn /ˈdɔ:tə
fratello	**brother**	ˈbrɒðə
fumatori/ non fumatori	**smokers/ non smokers**	ˈsməukəz / nɒnˈsməukəz
imbarco	**embarkation**	ˌemba:kéiʃn

1.4 PAROLE UTILI NEL VIAGGIO

indirizzo	**address**	ədrés
italiano	**Italian**	'itæliən
lavoro	**work/job**	'wɜːk / 'dʒɒb
mancia	**tip**	tip
marito	**husband**	'hʌzbənd
moglie	**wife**	waif
nazionalità	**nationality**	ˌnæʃənǽləti
nome	**name**	'neim
orario	**timetable**	'taimteibəl
paese	**country**	'kʌntri
partenza	**departure**	dipáːtʃə
passaporto	**passport**	'paspɔːt
patente	**licence**	'laisəns
permanenza	**stay**	'stei
piazza	**piazza/square**	piǽtsə /'skweə
polizia	**police**	pəlìs
posto	**seat/place**	'siːt /'pleis
prefisso	**dialling code**	'daiəliŋ'cəud
prenotazione	**booking**	'bukiŋ
prezzo	**price**	'prais
ragazzo/a	**boy/girl**	bɔi / gɜːl
rimborso	**reimbursement**	ˌriːimbɜ́ːsmənt
rinuncia	**cancellation**	ˌkansəléiʃn
risposta	**reply**	riplái
ritardo	**delay**	diléi
sala d'attesa	**waiting room**	'weitiŋ ruːm
scalo	**stopover**	'stɒpəuvə
sciopero	**strike**	straik
scontrino	**receipt**	risíːt
sedile	**seat**	'siːt
servizio	**service**	'sɜːvis
soggiorno	**stay**	'stei
soldi	**money**	'mʌni
sorella	**sister**	'sistə
stato	**state**	'steit
stazione	**station**	'steiʃn
degli autobus/pullman	**bus terminal**	'bʌs'tɜːminəl
dei taxi	**taxi rank**	'tæksi'ræŋk
della metropolitana	**underground station**	'ʌndəgraund 'steiʃn
straniero	**foreigner**	'fɒrənə
studente	**student**	'stjudənt
supplemento	**supplement**	'sʌplimənt
tariffa	**fare**	'feə
toilette	**toilet**	'tɔilit

1.4 PAROLE UTILI NEL VIAGGIO

turista	**tourist**	ˈtuərist
ufficio informazioni	**information office**	ˌinfɔːmˈeiʃn ˈɒfis
uomo	**man**	ˈmæn
uscita	**exit**	ˈeksit
vacanza	**holiday**	ˈhəulidei
valigia	**suitcase**	ˈsuːtkeis
valuta	**currency**	ˈkʌrənsi
via	**street**	ˈstriːt
viaggio	**journey**	ˈdʒɜːni
viale	**avenue**	ˈævənjuː
visto	**view**	ˈvjuː

AGGETTIVI E AVVERBI UTILI E LORO CONTRARI

allegro/triste	**happy/sad**	ˈhæpi / ˈsæd
aperto/chiuso	**open/closed**	ˈəupən / ˈkləuzd
alto/basso	**high/low**	ˈhai / ˈləu
asciutto/bagnato	**dry/wet**	ˈdrai / ˈwet
bello/brutto	**beautiful/ugly**	ˈbjuːtəful / ˈhʌgli
buono/cattivo	**good/bad**	ˈguːd / ˈbæd
caldo/freddo	**hot/cold**	ˈhɒt / ˈkəuld
caro/economico	**expensive/cheap**	ikspénsiv / ˈtʃiːp
chiaro/scuro	**light/dark**	ˈlait / ˈdaːk
corto/lungo	**short/long**	ˈʃɔːt / ˈlɒŋ
divertente/noioso	**amusing/boring**	əmjúːziŋ / ˈbɔːriŋ
dolce/amaro	**sweet/bitter**	ˈswiːt / ˈbitə
duro/morbido	**hard/soft**	ˈhaːd / ˈsɔːft
facile/difficile	**easy/difficult**	ˈiːzi / ˈdifikəlt
famoso/ sconosciuto	**famous/ unknown**	ˈfeiməs / ˌʌnnəún
forte/debole	**strong/weak**	ˈstrɒŋ / ˈwiːk
gentile/scortese	**kind/unkind**	ˈkaind / ˌʌnkáind
giovane/vecchio	**young/old**	ˈjʌŋ / ˈəuld
giusto/sbagliato	**right/wrong**	ˈrait / ˈrɒŋ
grande/piccolo	**large/small**	ˈlaːdʒ / ˈsmɔl
grasso/magro	**fat/thin**	ˈfæt / ˈθin
intelligente/ stupido	**intelligent/ stupid**	intélidʒənt / ˈstjuːpid
largo/stretto	**wide/narrow**	ˈwaid / ˈnærəu
leggero/pesante	**light/heavy**	ˈlait / ˈhevi
lento/veloce	**slow/fast**	ˈsləu / ˈfast
libero/occupato	**free/engaged**	ˈfriː / ingéidʒd
lontano/vicino	**far away/near**	faː əwéi / ˈniə
maschile/ femminile	**male/ female**	ˈmeil / ˈfimeil
migliore/peggiore	**better/worse**	ˈbetə / ˈwɜːs

nuovo/vecchio	**new/old**	ˈnjuː / əuld
ottimo/pessimo	**very good/very bad**	veriˈguːd / veriˈbæd
piacevole/ spiacevole	**pleasant/ unpleasant**	ˈpleznt / ʌnplеznt
pieno/vuoto	**full/empty**	ˈful /ˈempti
poco/pochi	**little/ few**	ˈlitəl / fjuː
molto/molti	**much/many**	mʌtʃ/ˈmæni
presto/tardi	**early/late**	ˈɜːli /ˈleit
pubblico/privato	**public/private**	ˈpʌblik /ˈpraivit
pulito/sporco	**clean/dirty**	ˈkliːn /ˈdɜːti
ricco/povero	**rich/poor**	ˈritʃ /ˈpɔː
rotto/intero	**broken/whole**	ˈbrəukən /ˈhəul
semplice/ complicato	**simple/ complicated**	ˈsimpəl / ˈkɒmplikeitid
simpatico/ antipatico	**nice/ unpleasant**	ˈnais / ʌnplеznt
stanco/riposato	**tired/rested**	ˈtaiəd /ˈrestid
uguale/diverso	**the same/different**	ˈseim /ˈdifrənt
utile/inutile	**useful/useless**	ˈjuːsful /ˈjuːslis
veloce/lento	**fast/slow**	ˈfast /ˈslaː
vero/falso	**true/false**	truː /ˈfɔːls
abbastanza/ troppo	**enough/ too much**	ˈinʌf / tuː mʌtʃ
basta/ancora	**enough/more**	ˈinʌf /ˈmɔː
certamente/forse	**certainly/perhaps**	ˈsɜːtnli / pəhæps
pro/contro	**for/against**	fɔː / əgеinst
sufficiente/ insufficente	**sufficient/ insufficient**	səfiʃnt / insəfiʃnt
tutti/nessuno	**everyone/no-one**	ˈevriwʌn/ˈnauwʌn
tutto/niente	**everything/nothing**	ˈevriθiŋ /ˈnʌθiŋ

I VERBI PIÙ COMUNI

abitare	**to live**	liv
affittare	**to rent/to let**	rent / let
alzare/si	**to get up**	get ʌp
andare	**to go**	gəu
arrivare	**to arrive**	əraiv
aspettare	**to wait**	weit
attraversare	**to cross**	krɒss
avere	**to have**	hæv
bere	**to drink**	driŋk
cambiare	**to change**	tʃeindʒ
camminare	**to walk**	wɔːk
capire	**to understand**	ʌndəstænd
chiamare/si	**to call/be called**	kɔːl/ biː kɔːld
comprare	**to buy**	bai
conoscere	**to know**	nəu

1.4 PAROLE UTILI NEL VIAGGIO

correre	**to run**	rʌn
credere	**to believe**	bili:v
dire	**to say**	sei
domandare	**to ask**	æsk
dormire	**to sleep**	sli:p
dovere (fare)	**to must**	mʌst
entrare	**to enter**	entə
essere	**to be**	bi:
fare	**to make/do**	meik / du:
finire	**to finish**	finiʃ
fissare	**to fix**	fiks
giocare	**to play**	plei
guidare	**to drive/guide**	draiv / gaid
lasciare	**to leave**	li:v
lavare	**to wash**	wɒʃ
leggere	**to read**	ri:d
mangiare	**to eat**	i:t
mettere	**to put**	put
noleggiare	**to hire**	ˈhaiə
ordinare	**to order**	ˈɔ:də
pagare	**to pay**	pei
parcheggiare	**to park**	pa:k
parlare	**to speak**	spi:k
partire	**to leave**	li:v
passare	**to pass**	pa:s
pensare	**to think**	θiŋk
piacere	**to please**	pli:z
potere	**to be able**	bi:ˈeibəl
prendere	**to take/get/fetch**	teik / get / fetʃ
prenotare	**to book**	buk
prestare	**to lend**	lend
rendere	**to return**	ritɜ́:n
riempire	**to fill**	fil
rispondere	**to reply**	riplái
salire	**to climb**(scale)/ **to get into** (auto, bus)	klaim / get intu
sapere	**to know**	nəu
scendere	**to descend/ to get off** (bus)/ **to get out of** (auto)	disénd / get ɒf / get aut ɒv
scrivere	**to write**	rait
sedersi	**to sit**	sit
sostare	**to stop**	stɒp
spendere	**to spend**	spend
spostarsi	**to move**	mu:v

1.4 PAROLE UTILI NEL VIAGGIO

suonare	**to ring/to play** (uno strumento musicale)	riŋ / plei
svegliare/si	**to wake up**	weik ʌp
tagliare	**to cut**	cʌt
telefonare	**to telephone**	ˈtelifəun
tornare	**to return**	ritɜ:n
uscire	**to go out**	gəu aut
vedere	**to see**	si:
venire	**to come**	kʌm
viaggiare	**to travel**	ˈtrævəl
visitare	**to visit**	ˈvizit
vivere	**to live**	liv
volere	**to want**	wɒnt

LOCUZIONI VERBALI

avere bisogno di	**to need**	ni:d
avere caldo	**to be hot**	bi: hɒt
avere fame	**to be hungry**	bi:ˈhʌŋgri
avere freddo	**to be cold**	bi: kəuld
avere fretta	**to be in a hurry**	bi: in əˈhʌri
avere paura di …	**to be afraid of …**	bi: əfreid ɒv
avere sete	**to be thirsty**	bi:ˈθɜ:sti
avere sonno	**to be sleepy**	bi: sli:pi
avere voglia di …	**to feel like**	ˈfi: laik
essere in ritardo	**to be late**	bi: leit
Ho … anni.	**I am …**	ai æm
fare una passeggiata	**to take a walk**	teik ə wɔ:k
andare a prendere	**to go to fetch**	gəu tu fetʃ
andare a trovare	**to go to find/to see**	gəu tu faind/ si:
andare a …	**to go to …**	gəu tu
mi piace/ non mi piace	**I like/ don't like**	ai laik / dəunt laik

DIREZIONI E POSIZIONI

a destra/ a sinistra	**to the right/ to the left**	tu θə rait / tu θə left
a diritto	**straight on**	streit ɒn
accanto (a)	**next to**	nekst
al centro	**into the centre**	intu θəˈsentə
all'inizio/ alla fine	**at the beginning/ at the end**	æt θə biginiŋ æt θə end
attraverso	**across**	əkrɒs

1.4 PAROLE UTILI NEL VIAGGIO

centro/ periferia	**centre/ surroundings**	ˈsentə / sərаúndiŋs
centrale	**central**	ˈsentrəl
dall'altra parte	**on the other side**	ɒn θiˈʌðəˈsaid
davanti/dietro (a)	**in front of/behind**	in frʌnt ɒv / biháind
di fronte (a)	**opposite**	ˈɒpəzit
giù/su	**down/up**	daun / ʌp
in alto/ in basso	**at the top/ at the bottom**	æt θə tɒp / æt θəˈbɒtəm
in cima/ in fondo (a)	**at the top/ at the end of**	æt θə tɒp / æt θi end ɒv
lì/là	**there**	ðeə
lontano (da)/ vicino (a)	**far away from/ near to**	fa: əwéi frɒm / niə tu
nelle vicinanze	**in the neigh- bourhood (of)**	in θə ˈneibəhud
nord/sud	**north/south**	nɔ:θ / sauθ
ovest/est	**west/east**	west / i:st
qui/qua	**here**	hiə
settentrionale/ meridionale	**northern/ southern**	ˈnɔ:ðən / ˈsauðən
sopra/sotto	**on top of/ under**	ɒn tɒp ɒv /ˈʌndə

1.5 CARTELLI E SEGNALI

alta tensione	**high tension**	hai'tenʃn
aperto	**open**	'əupən
ascensore	**lift**	lift
attenti al cane	**beware of the dog**	biwéə ɒv θə dɒg
attenti allo scalino	**mind the step**	'maind θə'step
biglietteria	**ticket office/**	'tikit'ɒfis /
– (*teatro*)	**box office**	'bɒks'ɒfis
cassa	**cash/desk**	kæʃìə/desk
chiuso	**closed**	'kləuzd
completo	**full**	ful
entrata	**entrance**	'entrəns
entrata libera	**Please come in**	pli:z kʌm in
esaurito	**out of stock**	aut ɒv stɒk
estintore	**fire extinguisher**	'faiə ikstíŋgwiʃə
guasto	**out of order**	aut ɒv'ɔ:də
in vendita	**on sale**	ɒn'seil
informazioni	**information**	ˌinfəméiʃn
lavori in corso	**work in progress**	'wɜ:k in'prəugres
libero	**free**	fri:
non attraversare	**do not cross**	du: nɒt'krɒs
non calpestare le aiuole	**don't walk on the flower beds**	dəunt wɔ:k ɒn θə'flauəbedz
non disturbare	**do not disturb**	du: nɒt distɜ́:b
non toccare	**do not touch**	du: nɒt'tʌtʃ
occupato	**occupied/engaged**	'ɒkjupaid / ingéidʒd
ospedale	**hospital**	'hɒspitəl
pericolo	**danger**	'deindʒə
pittura fresca	**wet paint**	wet peint
prenotato	**reserved**	risɜ́:vd
proprietà privata	**private property**	'praivit'prɒpəti
scala mobile	**escalator**	eskəléitə
scale	**stairs**	'steəz
silenzio	**silence**	'sailəns
signore	**ladies**	'leidiz
signori	**gentlemen**	'dʒentlmən
spingere	**push**	puʃ
suonare	**ring**	riŋ
telefono	**telephone**	'telifəun
tirare	**pull**	pul
toilette	**toilets**	'tɔilit
uscita	**exit**	'eksit
di emergenza	**emergency exit**	'imɜ:dʒənsi'eksit
vietato fumare	**no smoking**	nəu'sməukiŋ
vietato l'ingresso	**no entry**	nəu'entri
vietato lasciare rifiuti	**do not litter**	du: nɒt litə

1.6 NUMERI, PESI E MISURE

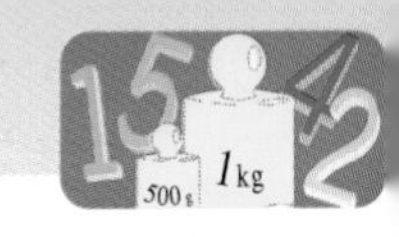

NUMERI CARDINALI

zero	**nought**	nɔ:t
1	**one**	wan
2	**two**	tu:
3	**three**	θri:
4	**four**	fɔ:
5	**five**	faiv
6	**six**	siks
7	**seven**	sevn
8	**eight**	eit
9	**nine**	nain
10	**ten**	ten
11	**eleven**	'ilevn
12	**twelve**	'twelv
13	**thirteen**	θɜ:ti'n
14	**fourteen**	fɔ:t'i:n
15	**fifteen**	fift'i:n
16	**sixteen**	sikst'i:n
17	**seventeen**	sevnt'i:n
18	**eighteen**	eit'i:n
19	**nineteen**	naint'i:n
20	**twenty**	'twenti
21	**twenty-one**	'twentiwan
22	**twenty-two**	'twentitu:
23	**twenty-three**	'twentiθri:
24	**twenty-four**	'twentifɔ:
25	**twenty-five**	'twentifaiv
30	**thirty**	'θɜ:ti
35	**thirty-five**	'θɜ:tifaiv
40	**forty**	'fɔ:ti
50	**fifty**	'fifti
60	**sixty**	'siksti
70	**seventy**	'sevnti
80	**eighty**	'eiti
90	**ninety**	'nainti
100	**a hundred**	ə'hʌndrəd
101	**a hundred and one**	ə'hʌndrəd ənd wan
102	**a hundred and two**	ə'hʌndrəd ənd tu:
105	**a hundred and five**	ə'hʌndrəd ənd faiv
110	**a hundred and ten**	ə'hʌndrəd ənd ten
120	**a hundred and twenty**	ə'hʌndrəd ənd'twenti
125	**a hundred and ttwenty-five**	ə'hʌndrəd ənd'twentifaiv
130	**a hundred and thirty**	ə'hʌndrəd ənd'θɜ:ti
150	**a hundred and fifty**	ə'hʌndrəd ənd'fifti

1.6 NUMERI, PESI E MISURE

156	**a hundred and fifty-six**	əˈhʌndrəd əndˈfiftisiks
200	**two hundred**	tu:ˈhʌndrəd
400	**four hundred**	fɔ:ˈhʌndrəd
500	**five hundred**	faivˈhʌndrəd
600	**six hundred**	siksˈhʌndrəd
700	**seven hundred**	sevnˈhʌndrəd
900	**nine hundred**	nainˈhʌndrəd
1000	**a thousand**	əˈθauznd
1208	**one thousand two hundred and eight**	wanˈθauznd tu: ˈhʌndrəd ənd ˈeit
2000	**two thousand**	tu:ˈθauznd
5563	**five thousand five hundred and sixty-three**	faivˈθauznd faiv ˈhʌndrəd ənd ˈsikstiθri:
10.000	**ten thousand**	tenˈθauznd
20.000	**twenty thousand**	ˈtwentiθauznd
35.648	**thirty five thousand six hundred and forty-eight**	ˈθɜ:tifaiv ˈθauznd siksˈhʌndrəd əndˈfɔ:tieit
100.000	**a hundred thousand**	əˈhʌndrəd ˈθauznd
200.000	**two hundred thousand**	tu:ˈhʌndrəd ˈθauznd
un milione	**one million**	wanˈmiljən
un miliardo	**a milliard**	əˈmilja:d
3,14	**three point one four**	θri: pɔint wan fɔ:
5,6	**five point six**	faiv pɔint siks
7/12mi	**seven-twelfths**	sevnˈtwelfθs
12%	**twelve per cent**	ˈtwelv pɜ: sent
metà (di)	**half**	ha:f
un quarto	**a quarter**	əˈkwɔ:tə
diecina	**ten**	ten
dozzina	**a dozen**	əˈdəuzn
centinaio	**a hundred**	əˈhʌndrəd
migliaio	**a thousand**	əˈθauznd
doppio	**double**	ˈdʌbəl
una volta	**once**	wans
due volte	**twice**	twais
un paio di …	**a couple of …**	əˈkʌpəl ɒv
3 più 2	**three plus two**	θri: plʌs tu:
8 meno 5	**eight minus five**	eit mainəs faiv
3 moltiplicato 4	**three by four**	ˈθri: bai fɔ:
6 diviso 2	**six divided by two**	siks divaidid bai tu:

1.6 NUMERI, PESI E MISURE

NUMERI ORDINALI

primo, 1°	**first**	fɜ:st
secondo, 2°	**second**	ˈsekənd
terzo, 3°	**third**	θɜ:d
quarto, 4°	**fourth**	fɔ:θ
quinto, 5°	**fifth**	fifθ
sesto, 6°	**sixth**	siksθ
settimo, 7°	**seventh**	sevnθ
ottavo, 8°	**eighth**	eitθ
nono, 9°	**ninth**	nainθ
decimo, 10°	**tenth**	tenθ
11°	**eleventh**	ˈilevnθ
12°	**twelfth**	twelfθ
13°	**thirteenth**	θɜ:tí:nθ
14°	**fourteenth**	fɔ:tí:nθ
15°	**fifteenth**	fiftí:nθ
16°	**sixteenth**	sikstí:nθ
17°	**seventeenth**	sevntí:nθ
18°	**eighteenth**	eití:nθ
19°	**nineteenth**	naintí:nθ
20°	**twentieth**	ˈtwentiθ
21°	**twenty-first**	ˈtwentifɜ:st
22°	**twenty-second**	ˈtwentiseˌkənd
23°	**twenty-third**	ˈtwentiθɜ:d
24°	**twenty-fourth**	ˈtwentifɔ:θ
25°	**twenty-fifth**	ˈtwentififθ
30°	**thirtieth**	ˈθɜ:tiθ
70°	**seventieth**	ˈsevntiθ
80°	**eightieth**	ˈeitiθ
90°	**ninetieth**	ˈnaintiθ
100°	**one-hundredth**	wanˈhʌndrətθ
500°	**five-hundredth**	faivhʌndrətθ
1000°	**thousandth**	ˈθauzntθ
10.000°	**ten-thousandth**	tenˈθauzntθ
milionesimo	**millionth**	ˈmiljənθ

Ecco un paio di esempi di come si usa formulare un prezzo:

Costa venti sterline e cinquanta penny.
It costs twenty pounds fifty.
Costa cento dollari e venticinque cents.
It costs a hundred dollars twenty five.

PESI E MISURE

peso lordo	**gross weight**	ˈgrəusˈweit
peso netto	**net weight**	ˈnetˈweit
tara	**tare**	ˈteə

1.6 NUMERI, PESI E MISURE

tonnellata	**ton**	ˈtɒn
quintale	**a hundred kilos**	əˈhʌndrədˈkiləuz
chilogrammo	**kilogramme**	ˈkiləugræm
ettogrammo	**a hundred grammes**	əˈhʌndrəd ˈgræms
grammo	**gramme**	ˈgræm
milligrammo	**milligramme**	ˈmiligræm
libbra	**pound (lb)**	ˈpaund
oncia	**ounce (oz)**	ˈauns

Quanto pesa?
How much does it weigh? hau mʌtʃ dʌz it wei

litro	**litre**	ˈliːtə
mezzo litro	**half a litre**	haːf əˈliːtə
decilitro	**one-tenth of a litre**	wan tenθ ɒv əˈliːtə
gallone	**gallon**	ˈgælən
pinta	**pint**	ˈpaint

Quanto contiene?
How much does it contain? hau mʌtʃ dʌz it kəntéin

chilometro	**kilometre**	ˈkiləumiːtə
metro	**metre**	ˈmiːtə
centimetro	**centimetre**	ˈsentimiːtə
millimetro	**millimetre**	ˈmilimiːtə
miglio terrestre	**mile**	ˈmail
miglio marino	**nautical mile**	ˈnɔːtikəlˈmail
piede	**foot**	fuːt
pollice	**inch**	intʃ
nodo	**knot**	nɒt

Quanto è lungo?
How long is it? hau lɒŋ iz it
Quanto dista?
How far is it? hau faː iz it

acro	**acre**	ˈeikrə
metro quadrato	**square metre**	ˈskweəmiːtə
metro cubo	**cubic metre**	ˈkjuːbikˈmiːtə
ettaro	**hectare**	ˈhekteə

TEMPERATURA

gradi centigradi	**degrees centigrade**	digriːz ˈsentigreid
gradi Fahrenheit	**degrees Fahrenheit**	digriːz ˈfærənhait

Quanti gradi sono?
What is the temperature? hwɒt iz θəˈtemprətʃə

1.7 COLORI E SFUMATURE

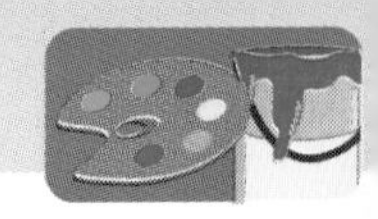

arancio	**orange**	ˈɒrindʒ
argento	**silver**	ˈsilvə
azzurro	**blue**	ˈblu:
beige	**beige**	ˈbeiʒ
bianco	**white**	ˈhwait
blu	**blue**	ˈblu:
fosforescente	**phosphorescent**	ˌfɒsfəˈresnt
giallo	**yellow**	ˈjeləu
grigio	**grey**	ˈgrei
lilla	**lilac**	ˈlailək
marrone	**brown**	ˈbraun
metallizzato	**metallic**	miˈtælik
nero	**black**	ˈblæk
ocra	**ochre**	ˈəukrə
oro	**gold**	ˈgəuld
porpora	**purple**	ˈpɜ:pəl
rosa	**pink**	ˈpiŋk
rosso	**red**	ˈred
verde	**green**	ˈgri:n
viola	**violet**	ˈvaiələt
chiaro	**light**	ˈlait
scuro	**dark**	ˈda:k
brillante	**brilliant**	ˈbriljənt
opaco	**opaque/dull**	əuˈpeik / ˈdʌl

ESIGENZE PARTICOLARI

FUMATORI (E NON FUMATORI)

Posso fumare?
May I smoke?

Dov'è la zona fumatori/non fumatori?
Where is the smoking/non-smoking area?

Vuole una sigaretta?
Would you like a cigarette?

Ha una sigaretta/da accendere?
Do you have a cigarette/light?

Mi disturba il fumo.
The smoke annoys me.

In questa zona è vietato fumare.
You are not allowed to smoke in this area.

FACILITAZIONI PER DISABILI

Ci sono rampe di accesso per disabili?
Are there access ramps for the disabled?

Ci sono bagni per disabili?
Are there toilets for the disabled?

Ci sono ascensori nell'edificio?
Are there lifts in the building?

È possibile introdurre una sedia a rotelle nell'ascensore?
Can a wheelchair be taken into the lift?

Mi può aiutare?
Can you help me please?

Ci sono riduzioni per disabili?
Are there reductions for the disabled?

FACILITAZIONI PER BAMBINI

carrozzina	**pram**	ˈpræm
culla	**crib**	ˈkrib
lettino	**cot**	ˈkɒt
neonato	**newborn infant**	ˈnjuːbɔːn / ˈinfənt
passeggino	**push-chair**	ˈpuʃtʃeə

Ci sono facilitazioni/riduzioni sotto i 4/12 anni?
Are there discounts/reductions for children under four/twelve?

Dove posso riscaldare il biberon?
Where can I warm the baby's bottle?

Dove posso cambiare il bambino?
Where can I change the baby?

Dove posso sterilizzare … ?
Where can I sterilize … ?

1.8 ESIGENZE PARTICOLARI

Viaggio con un bambino di tre anni.
I am travelling with a baby of three.

Il bambino paga per intero?
Does one pay the full amount for the baby?

Il bambino si siede sulle mie ginocchia.
The baby sits on my lap.

Mi può portare un seggiolone?
Can you please bring me a highchair?

Vorrei una babysitter per oggi/stasera.
I would like a babysitter for today/this evening.

Ci sono aree per l'intrattenimento dei bambini?
Are there play areas for children?

C'è un parco-giochi?
Is there a playground?

IN VIAGGIO CON ANIMALI

È permesso l'ingresso ai cani?
Are dogs allowed in?

Posso tenere un cane nell'appartamento/in camera?
Can I keep a dog in the flat/suite/room?

> ***No animals allowed***
> *È vietato l'ingresso agli animali.*

Pagano il biglietto anche gli animali?
Does one pay for a ticket for animals too?

Dov'è il canile?
Where are the kennels?

Il gatto viaggia nella sua gabbia.
The cat travels in its cage.

Posso lasciare il cane libero nel parco?
May I let the dog free in the park?

> ***Dogs must be on a lead***
> *Il cane va tenuto a guinzaglio*
>
> ***Dogs must wear muzzles***
> *Il cane deve avere la museruola.*

Posso portare il cane sulla spiaggia?
May I take the dog on the beach?

È buono, non morde!
He/she is friendly: he/she won't bite!

Ho il certificato delle vaccinazioni.
I have the vaccination certificate.

Posso lasciare il cane qui per un momento? Torno subito.
May I leave the dog here for a moment? I'll be back immediately.

AREA 2. VIAGGIARE

2.1 IN AEREO E IN AEROPORTO

2.2 IN AUTOMOBILE (O IN MOTO)

2.3 IN TRAGHETTO, NAVE, ALISCAFO

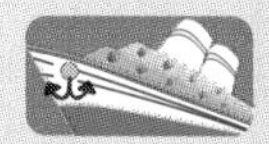

2.4 IN TRENO

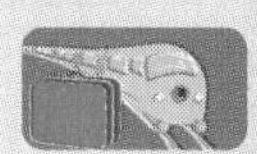

2.5 USARE I MEZZI PUBBLICI

2.6 DOCUMENTI E UFFICI PUBBLICI

2.7 NOLEGGIO DI AUTO E DI ALTRI MEZZI

In quest'Area abbiamo raccolto i termini e le frasi relativi alle varie fasi e situazioni del viaggio, ossia dello spostamento da un luogo all'altro. Naturalmente non sono stati presi in considerazione solo il viaggio di andata all'estero e quello di ritorno, ma anche piccoli e grandi spostamenti effettuati all'estero con questo o quel mezzo di trasporto: perciò sono state affrontate le esigenze di chi deve prenotare un posto, pagare un biglietto, noleggiare un mezzo, chiedere informazioni negli aeroporti e nelle stazioni, sugli orari, sui servizi e sulle sistemazioni a bordo, o reclamare per eventuali disservizi. In quest'Area sono state collocate anche le frasi e le espressioni più ricorrenti in momenti cruciali quali: il *passaggio della dogana* e il controllo dei documenti; le contestazioni di *infrazioni stradali* da parte della polizia; l'eventualità di dover far eseguire *piccole riparazioni o controlli* sui veicoli; la richiesta o la vidimazione di *documenti, visti e permessi* negli uffici pubblici esteri.

2.1 IN AEREO E IN AEROPORTO

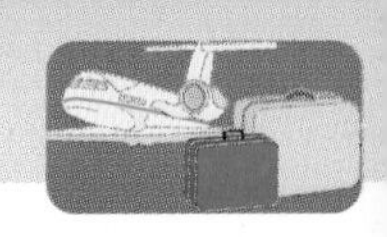

IN AEROPORTO - CHECK-IN E IMBARCO

aeroplano	**aeroplane**	ˈeəplən
aeroporto	**airport**	ˈeəpɔːt

I CARTELLI RICORRENTI IN AEROPORTO

cancello	**gate**	ˈgeit
check-in	**check-in counter**	ˈtʃek inˈkauntə
controllo passaporti	**passport check point**	ˈpaːspɔːt ˈtʃekˈpɔint
dogana	**customs**	ˈkʌstəmz
porta d'imbarco	**boarding gate**	ˈbɔːdiŋˈgeit
ritiro bagagli	**baggage claim**	ˈbægidʒˈkleim
sala d'attesa	**waiting room/lounge**	ˈweitiŋ ˈruːm /ˈlaundʒ
voli internazionali nazionali	**international / domestic flights**	ˌintənæʃənəl dəuméstikˈflaits

Le frasi seguenti possono servire nel caso si debba prendere un aereo all'estero, sia col biglietto già fatto che da fare.

Dove sono i voli internazionali/nazionali?
Can you tell me where the international/domestic flights are?

Dov'è il check-in del volo [compagnia] per … ?
Can you tell me where the [compagnia] check-in desk is for the flight for … ?

A che ora parte il prossimo volo per … ?
What time is the next flight for … due to leave?

Vorrei prenotare/confermare un/due … posto/i a nome … sul volo … per … .
I'd like to book/confirm a/two seat/s in the name of … on flight … for … .

Un biglietto di andata e ritorno/con ritorno aperto/di sola andata per … .
A return/An open return/A one-way single ticket for … .

Vorrei un posto fumatori/non fumatori/centrale/vicino al finestrino/al corridoio.
I'd like a smoker's/non-smoker's/central/window/aisle seat, please.

Ci sono tariffe speciali/weekend?
Are there any special/weekend rates?

Vorrei anticipare/posticipare la partenza.
I'd like to bring forward/delay my departure.

IN AEREO E IN AEROPORTO

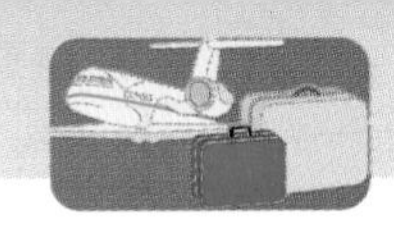

Your ticket, please.
Il suo biglietto, prego.

C'è un volo in coincidenza per … ?
Is there a connecting flight for … ?

Quanto dura il volo?
How long does the flight take?

Viaggio con un bambino di … anni.
I'm travelling with a … -year-old child.

Ho bisogno di un menu per diabetici/vegetariani.
I require the diabetic/vegetarian menu.

Vorrei instradare il bagaglio fino a … .
I'd like to forward my luggage as far as … .

Posso imbarcare questa borsa/scatola come bagaglio a mano?
May I take this bag/box into the cabin as hand luggage?

Have you got any more luggage?
Ha altro bagaglio?

You will have to pay … excess weight.
Deve pagare … di sovrappeso.

Here is your boarding card, Gate … .
Questa è la sua carta d'imbarco, cancello … .

POSSIBILI ANNUNCI DALL'ALTOPARLANTE

Owing to fog/bad weather/strike action, flight number … will be delayed … minutes/hours.
Il volo … subirà un ritardo di … minuti/ore causa nebbia/maltempo/sciopero.

Flight number … for … has been cancelled.
Il volo … per … è stato cancellato.

Will passengers holding boarding cards for flight … please proceed to Gate … .
Passeggeri del volo … per … , portarsi al cancello …

SULL'AEROPLANO

Alcune frasi utili per eventuali esigenze o curiosità durante il volo.

Non riesco ad allacciarmi la cintura di sicurezza.
I can't manage to fasten my safety belt.

A che ora è previsto l'atterraggio?
When are we due to land?

A quale altitudine stiamo volando?
What altitude are we flying at?

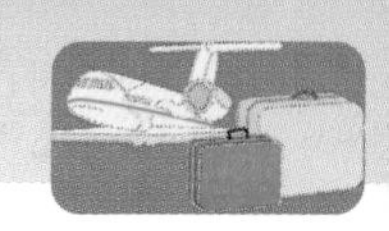

Non ho avuto il vassoio del pranzo.
I have not received my lunch tray.

Avete generi duty-free a bordo?
Do you stock duty-free goods on board?

Vorrei qualcosa contro il mal d'aria/la nausea.
I'd like something for air sickness/nausea, please.

POSSIBILI AVVISI VERBALI O LUMINOSI SULL'AEREO

We'll be taking off/landing in … minutes.
Il decollo/l'atterraggio è previsto fra … minuti.

Please fasten your seat belts.
Allacciare le cinture di sicurezza.

I'm afraid we have hit some turbulence. We may run into a few air pockets.
Stiamo attraversando un'area di turbolenze. È possibile incontrare vuoti d'aria.

Please remain seated with your seat belts fastened and refrain from smoking.
Si prega di rimanere seduti ai propri posti con le cinture di sicurezza allacciate e di non fumare.

A DESTINAZIONE (NELL'AEROPORTO D'ARRIVO)

Dove arrivano i bagagli del volo … proveniente da … ?
Where does the luggage off flight … from … come through?

Dove sono i carrelli per i bagagli?
Where are the luggage trolleys, please?

Dov'è il deposito bagagli?
Where is the left-luggage office, please?

Il mio bagaglio non è arrivato: a chi mi debbo rivolgere? Ero sul volo … da … .
My luggage has not arrived. Who can I speak to about it? I was on flight … from … .

La mia valigia è stata aperta/danneggiata.
My suitcase has been opened/damaged.

Please fill in this form.
Deve riempire questo modulo.

IN DOGANA

Vengono presi in considerazione sia il controllo dei documenti che dei bagagli. Le norme comunitarie hanno abolito i controlli doganali per i cittadini degli Stati aderenti, ma permane l'obbligo di esibire documenti validi alla frontiera. Nel caso vi rechiate in paesi extracomunitari, è obbligatorio dichiarare alla dogana solamente

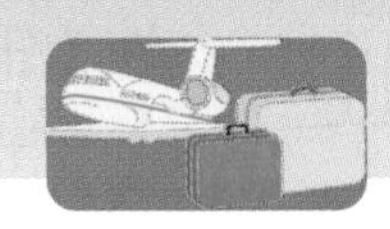

gli articoli acquistati nel paese di provenienza. Se viaggiate con effetti personali o regali in rispetto alle norme doganali vigenti nel paese di destinazione, non avete «Niente da dichiarare».

Your papers, please.
I suoi documenti, prego.

What is the reason for your journey?
Qual è il motivo del suo viaggio?

È un viaggio di lavoro/turismo/studio.
It is a business/pleasure/study trip.

How long are you intending to stay?
Quanto tempo si trattiene nel paese?

Have you anything/nothing to declare?
Ha qualcosa/niente da dichiarare?

Niente da dichiarare.
Nothing to declare.

Ho un ... per uso personale
I have a ... for my personal use.

Would you open this suitcase/bag/box, please?
Può aprire questa valigia/borsa/scatola?

LASCIARE L'AEROPORTO

Dov'è l'uscita?
Can you tell me where the exit is, please?

Dov'è l'ufficio cambio?
Where is a foreign exchange counter?

Dov'è l'ufficio informazioni turistiche?
Where is the tourist information office?

Dov'è l'autonoleggio?
Can you tell me where the car rentals are?

Qual è il modo più economico per raggiungere il centro?
Which is the cheapest way to get into the centre?

C'è un treno/un autobus/una linea del metrò per la città?
Is there a train/bus/underground line for the city?

Qual è il tragitto del pullman?
Which route does the coach take?

Dov'è la biglietteria?
Can you tell me where the ticket office is, please?

Dov'è la fermata?
Can you tell me where the stop is, please?

Dov'è la stazione dei taxi?
Can you tell me where the taxi rank is, please?

2.2 IN AUTOMOBILE (O IN MOTO)

In questa sezione si trovano il lessico e le frasi utili per viaggiare in automobile, affrontando le normali situazioni (compresa qualche piccola emergenza) che si possono proporre a chi si sposta su 4 ruote (o su 2). Non si considerano quindi i guasti di seria entità e gli incidenti (si veda la situazione 4.1) e i furti (4.2). Per noleggiare un'auto o altro mezzo di trasporto, si veda la situazione 2.7.

DOCUMENTI PERSONALI E DEL VEICOLO

bollo	**road licence**	ˈrəudˈlaisəns
carta verde	**green card**	ˈgri:nˈka:d
libretto di circolazione	**registration document**	ˌredʒistréiʃn ˈdɒkjumənt
patente	**driving licence**	ˈdraiviŋˈlaisəns
contrassegno assicurazione	**car insurance certificate**	ˈka: inʃɔ́:rəns sət ìfikeit
targa	**registration plate**	ˌredʒistréiʃnˈpleit

CARTELLI PRESSO LE BARRIERE E I CASELLI

Confine di Stato	**Frontier**	ˈfrʌntiə
Frontiera a … km	**… km to border**	km tu:ˈbɔ:də
Dogana	**Customs**	ˈkʌstəmz
Casello	**Tollgate**	ˈtəulgeit
Pedaggio	**Toll**	ˈtəul
Ritirare il biglietto	**Take a ticket**	ˈteik əˈtikit

POSSIBILI RICHIESTE ALLA DOGANA

Have you anything to declare?
Ha niente da dichiarare?

Open the boot.
Apra il bagagliaio.

Open that bag/box/suitcase.
Apra quella borsa/scatola/valigia.

May I see your driving licence/registration document?
Mi mostri la patente/il libretto di circolazione.

Dove posso fare la carta verde?
Where may I get a green card?

I VEICOLI

automobile	**car**	ˈka:
berlina	**saloon car**	səlú:nˈka:
coupé	**coupé**	ˈku:pei
familiare	**estate wagon**	ˈisteitˈwægən
fuoristrada	**all terrain vehicle**	ˈo:l teréinˈviəkəl
spider	**roadster**	ˈrəudstə

2.2 IN AUTOMOBILE (O IN MOTO)

bicicletta	**bicycle**	'baisikəl
ciclomotore	**moped**	'məuped
motocicletta	**motor cycle**	'məutəsaikəl
motorscooter	**motor scooter**	'məutəsku:tə
rimorchio	**trailer**	'treilə
caravan	**caravan**	'kærəvæn

LE VARIE CATEGORIE DI STRADE E LA CIRCOLAZIONE

autostrada	**motor way**	'məutəwei
carreggiata	**carriageway**	'kæridʒwei
colonnina	**emergency**	'imɜ:dʒənsi
di soccorso	**box**	'bɒks
corsia	**lane**	'lein
di emergenza	**escape lane**	'iskeip'lein
di sorpasso	**overtaking lane**	ˌəuvətéikiŋ'lein
raccordo	**link road**	'liŋk'rəud
semaforo	**traffic lights**	'træfik'laits
soccorso	**road**	'rəud
stradale	**assistance**	əsìstəns
spartitraffico	**central reservation**	'sentrəlˌrezəvéiʃn
stop	**stop signal**	'stɒp'signəl
strada	**road**	'rəud
nazionale	**trunk-road**	'trʌŋkrəud
provinciale	**regional road**	'ri:dʒənəl'rəud .
vicinale	**dirt road**	'dɜ:trəud
superstrada	**dual carriage way**	'dju:əl'kæridʒwei
svincolo	**junction/crossing**	'dʒʌnkʃn /'krɒsiŋ
uscita	**exit**	'eksit

L'ORIENTAMENTO NEI GRANDI SPOSTAMENTI

Questa fraseologia serve per chiedere informazioni sul tipo di strada che ci si accinge a percorrere in un lungo spostamento. È breve anche in considerazione del fatto che chi viaggia in automobile ha normalmente a disposizione una cartina stradale da cui trarre la maggior parte delle indicazioni. Per l'orientamento e le indicazioni stradali in città e nei centri abitati si veda la situazione 4.3.

Vado bene per l'autostrada?
Excuse me, is the motor way this way?
Qual è la strada per … ?
Which is the road for, please?
È a due/quattro corsie?
Does it have two/four lanes?
È una strada asfaltata?
Is the road asphalted?

2.2 IN AUTOMOBILE (O IN MOTO)

SEGNALAZIONI

I segnali stradali si uniformano a una normativa internazionale, quindi non cambiano da paese a paese (specie in Europa), se non marginalmente: e anche in questo caso, essendo fatti per essere capiti 'a vista', è quasi sempre facile comprenderli. Altrimenti, in caso di assoluta indecodificabilità, c'è sempre la possibilità di domandarne il significato. Ai segnali spesso si accompagnano scritte o cartelli, che sussistono anche da soli: ecco gli esempi più ricorrenti.

accendere i fari	**switch on head lamps**	ˈswitʃ ɒn ˈhedlæmps
deviazione	**detour**	ˈdiːtuə
divieto		
di accesso	**no entry**	nəuˈentri
di circolazione	**no thoroughfare**	nəuˈθʌrəfeə
d'inversione a U	**no U turns**	nəuˈjuːtɜːn
di sorpasso	**no overtaking**	nəuˌəuvətéikiŋ
frana	**landslide**	ˈlændslaid
galleria	**tunnel**	ˈtʌnəl
lavori in corso	**works under way**	ˈwɜːksˌʌndəˈwei
obbligo di catene	**use of chains compulsory**	ˈjuːz ɒvˈtʃein kəmpʌlsəri
pericolo	**danger**	ˈdeindʒə
polizia stradale	**highway patrol**	ˈhaiwei pətrəúl
banchi di nebbia	**fog banks**	ˈfɒgbæŋks
ghiaccio	**ice**	ˈais
possibilità di code	**possible queue hazard**	ˈpɒsəbəlˈkẁjuː ˈhæzəd
rallentare	**slow**	ˈsləu
segnaletica in rifacimento	**signs being repainted**	ˈsainsˈbiːiŋ ripéintid
serrare a destra	**keep to the right**	ˈkiːp tuː θəˈrait
spegnere il motore in sosta	**switch off engine when stationary**	ˈswitʃ ɒfˈendʒin hwenˈsteiʃnəri
strada deformata	**faulty road surface**	ˈfɔːltiˈrəudˈsɜːfis
– interrotta	**road closed**	ˈrəudˈkləuzd
– sdrucciolevole	**slippery road**	ˈslipəriˈrəud
uscita autocarri	**heavy plant crossing**	ˈheviplænt ˈkrɒsiŋ
valanghe	**avalanche**	ˈævəlaːntʃ
zona del silenzio	**Avoid unnecessary noise** (segnale)	əvɔ́id ʌnnésəsəri ˈnɔiz

zona disco orario	**Park and display time** (segnale)	ˈpaːk ənd displéi ˈtaim
zona pedonale	**pedestrian precinct**	pidestriənˈpriːsiŋkt
z. traffico limitato	**access restricted**	ˈækses ristrìktid

NELL'AREA DI SERVIZIO

RIFORNIMENTO E PICCOLE RIPARAZIONI

batteria	**battery**	ˈbætəri
bullone	**bolt**	ˈbɒlt
cacciavite	**screw driver**	ˈskrjuːdraivə
camera d'aria	**inner tube**	ˈinətjuːb
cassetta attrezzi	**tool kit**	ˈtuːlkit
chiave inglese	**spanner**	ˈspænə
coupons	**coupons**	ˈkuːpən
cric	**car-jack**	ˈkaːjæk
dado	**nut**	ˈnʌt
meccanico	**mechanic**	mikǽnik
pneumatico	**tyre**	ˈtaiə
rifornimento	**filling up**	ˈfiliŋ ʌp
riparazioni	**repairs**	ripéəz

Metta … litri/il pieno …
Please put … litres/gallons of/fill up with … — ˈpliːz putˈliːtəz/ˈgælənz ɒv /ˈfil ʌp wið
… di benzina senza piombo (verde).
… leadless (green) petrol. — ˈledlis / griːnˈpetrəl
… di gasolio.
… diesel oil/fuel. — ˈdiːzəlˈɔil /ˈfjuəl
… di miscela al … %.
… % fuel mixture. — ˈfjuəlˈmikstʃə
… di super.
… super/four-star petrol. — ˈsuːpə/ ˈfɔː-staːˈpetrəl

Mi controlli …
Please check … — ˈpliːzˈtʃek
… l'acqua/il liquido refrigerante.
… the water/cooling liquid. — θəˈwɔːtə/ˈkuːliŋˈlikwid
… l'olio dei freni.
… the brake fluid. — θəˈbreikˈfluːid
… l'olio del motore.
… the engine oil. — θəˈendʒinˈɔil
… la batteria.
… the battery. — θəˈbætəri
… la pressione dei pneumatici.
… the tyre pressure. — θəˈtaiəˈpreʃə

… la pressione della ruota di scorta.
… the pressure in the spare wheel. θə'preʃə in θə'speə 'wi:l
… le pasticche dei freni.
… the brake discs. θə'breik'disks

IL BENZINAIO (O IL MECCANICO) POTREBBE DIRVI

The oil's rather low. Shall I top it up?
Manca olio. Debbo aggiungerlo?

The oil needs changing.
Bisogna cambiare l'olio.

The air/oil filter needs replacing.
Bisogna sostituire il filtro dell'aria/dell'olio.

Shall I add water or liquid?
Aggiungo acqua o liquido?

The spark plugs need changing.
Bisogna cambiare le candele.

C'è un'autofficina/un autolavaggio/un gommaio?
Can you tell me if there is a repair garage/car wash/tyre repairer near here?

Ho una gomma a terra.
I have a flat tyre.

The inner tube will have to be changed.
Bisogna cambiare la camera d'aria.

A new tyre is needed.
Ci vuole un pneumatico nuovo.

Debbo sostituire un fusibile/una lampadina.
I need to change a fuse/a bulb.

PARCHEGGIO, DIVIETO DI SOSTA E RIMOZIONE

carro-attrezzi	**break-down lorry**	'breikdaun'lɒri
divieto		
di fermata	**no stopping**	nəu 'stɒpiŋ
di sosta	**no waiting**	nəu 'weitiŋ
di sosta permanente	**no waiting at any time**	nəu 'weitiŋ æt'eni'taim
ganasce	**clamps**	'klæmps
marciapiede	**pavement**	'peivmənt
contravvenzione	**traffic offence**	'træfik ə'fens
multa	**fine**	'fain
parcheggio	**parking**	'pa:kiŋ
a pagamento	**pay parking**	'pei'pa:kiŋ

2.2 IN AUTOMOBILE (O IN MOTO)

a tempo	**limited parking**	'limitid'pa:kiŋ
parchimetro	**parking meter**	'pa:kiŋ'mi:tə
passo	**vehicle**	'viəkəl
carrabile	**passage-way**	'pæsidʒwei
rimozione forzata	**tow away zone**	'təu əwei zəun

Si può parcheggiare qui?
Is parking allowed here?

Quanto tempo posso parcheggiare qui?
How long can I park here for?

Dov'è un parcheggio custodito?
Where is there a tended car park, please?

Quanto costa all'ora/al giorno?
What is the hourly/the daily charge?

Chi può aprire le ganasce?
Who is authorized to remove the clamps?

> ***You will have to call a policeman.***
> *Deve chiamare un vigile.*

Dov'è un vigile?
Where can I find a policeman?

> ***You will have to pay a fine of .... Are you going to pay now?***
> *Deve pagare una multa di .... Paga subito?*

La mia auto è stata rimossa. Come posso recuperarla?
My car has been towed away. How do I get it back?

> ***Your car is ....***
> *La sua auto si trova ...*

Perché mi avete fatto la multa?
Why have I been fined?

> ***Your car is in a no parking area.***
> *La sua macchina è in sosta vietata.*
>
> ***This car park is reserved.***
> *Questo parcheggio è riservato.*
>
> ***The parking meter has expired.***
> *I parchimetro è scaduto.*
>
> ***It is obstructing the traffic.***
> *Ostruisce il passaggio.*

INFRAZIONI E CONTRAVVENZIONI

Elenchiamo di seguito – con l'augurio che non servano – alcune richieste e contestazioni che potrebbero esservi rivolte dalla polizia stradale in caso di infrazioni o semplici controlli.

You are infringing traffic regulations.
Lei è in contravvenzione.

May I see ...
Posso vedere ...
... your (international) driving licence?
... la sua patente/patente internazionale?
... your registration book?
... il libretto di circolazione?
... your road licence and car insurance?
... il bollo e l'assicurazione dell'auto?
... your green card?
... la carta verde?

This licence/document is not valid.
Questa/o patente/documento non è valida/o.

Seat belts are compulsory.
Le cinture di sicurezza sono obbligatorie.

You crossed on a red light.
Lei è passato con il semaforo rosso.

You were exceeding the speed limit.
Lei ha superato il limite di velocità.

You failed to stop at the sign/give way.
Lei non ha rispettato lo stop/la precedenza.

You went over the continuous line.
Lei ha superato la linea continua.

You were travelling on the wrong side of the road.
Lei viaggiava contromano.

This is a pedestrian precinct.
Questa è una zona pedonale.

This is a one-way street.
Questa strada è a senso unico.

Traffic is limited in this street.
Questa strada è a traffico limitato.

2.3 IN TRAGHETTO, NAVE, ALISCAFO

NEL PORTO E A BORDO

Aliscafo	**Hydroplane**	ˈhaidroplən
Nave	**Ship**	ˈʃip
Porto	**Harbour**	ˈha:bə
Traghetto	**Ferry boat**	ˈferiˈbəut

NEL PORTO

Da dove partono i traghetti/gli aliscafi per … ?
Excuse me, where do the ferries/hydroplanes for … leave from?

From quay/pier … .
Dalla banchina/dal molo ….

Dove attracca il traghetto/aliscafo da … ?
Can you tell me where the ferry/hydroplane from … docks?

Dov'è l'ufficio informazioni/biglietteria della compagnia ?
Where is (the company's) information office / ticket office?

Vorrei l'orario e le tariffe dei traghetti per … .
I'd like the ferry time-table and tariffs for … , please.

Quanto dura la traversata?
How long does the crossing take?

IN BIGLIETTERIA

Quanto costa il biglietto …
How much does the ticket cost …

… per adulti/bambini?
… for an adult/a child?
… in cabina singola/doppia/tripla?
… for a single/double/triple cabin?
… in passaggio ponte?
… for a seat on deck?
… in poltrona reclinabile?
… for a seat in a reclining armchair?
… per le auto?
… for a car?
… per le biciclette?
… for a bicycle?
… per le moto?
… for a motor-cycle?
… per le roulotte?
… for a caravan?
… i camper?
… for a camper?
… il carrello rimorchio?
… for a trailer?

2.3 IN TRAGHETTO, NAVE, ALISCAFO

Quanto costa l'andata e ritorno?
How much is a return ticket?

Posso avere il ritorno con data aperta?
May I have the return date left open?

Vorrei prenotare sul traghetto/sull'aliscafo delle … per …
I'd like to book … on the … (ora) **ferry for …** (luogo).

… il passaggio ponte/la poltrona/la cabina per …
… deck seats/armchairs/a cabin for …

… un/due/tre adulto/i più …
… one/two/three adults plus …

… un/due/tre bambino/i più …
… one child/two/three children plus …

… un'auto/una moto/un camper.
… a car/a motorcycle/a camper …

A che ora inizia l'imbarco?
What time can passengers start boarding?

C'è il bar/ristorante a bordo?
Is there a bar/restaurant on board?

The reservation of a cabin or reclining armchair is compulsory on the night crossing.
Per la corsa notturna è obbligatorio prenotare la cabina o la poltrona reclinabile.

When travelling by car, the return journey must be reserved as well.
Se viaggia con l'auto deve prenotare anche il ritorno.

A BORDO

Le seguenti frasi corrispondono a possibili comunicazioni del personale o (più di frequente) a cartelli o avvisi tramite altoparlante nel garage del traghetto. Trattandosi di norme di sicurezza, è bene farvi molta attenzione.

Gas cylinders in campers must be kept closed.
Chiudere le bombole del gas sui camper.

Leave vehicle in gear with the hand brake engaged.
Lasciare la marcia inserita e il il freno a mano tirato.

Switch off the engine and remove the keys.
Spengere il motore e togliere le chiavi.

Do not lock your vehicle doors.
Non chiudere gli sportelli a chiave.

Access to the garage is not permitted during the crossing.
Vietato sostare nel garage durante la traversata.

2.3 IN TRAGHETTO, NAVE, ALISCAFO

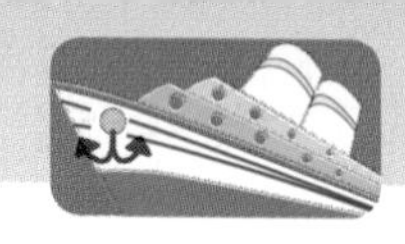

Dov'è/sono ...
Please can you tell me where ... is/are?
... la cabina/poltrona numero ... ?
... **cabin/seat number** ...
... l'ufficio del commissario di bordo?
... **the purser's office** ...
... le chiavi delle cabine?
... **the cabin keys** ...
... la toilette?
... **the toilets** ...
... il bar/ristorante/self-service?
... **the bar/restaurant/self-service restaurant** ...
... l'infermeria?
... **the sick-bay** ...

Come si raggiunge il ponte superiore/inferiore?
How do you get to the upper/lower deck?

Ho mal di mare.
I feel sea-sick.

La mia cabina ...
My cabin ...
... è già occupata.
... **has already been taken.**
... è rumorosa, vorrei cambiarla.
... **is noisy. I'd like to change it.**

La mia cabina non si apre.
My cabin door will not open.

Nella mia cabina non si apre l'oblò.
The porthole in my cabin will not open.

Di solito su tutte le imbarcazioni che svolgono servizio di traghetto sono esposte con evidenza su appositi cartelli, in più lingue e con l'ausilio di segnalazioni grafiche, le indicazioni su come comportarsi in caso di emergenza. In ogni caso segnaliamo anche le espressioni ricorrenti su quei cartelli.

abbandonare la nave	**abandon ship**	əbǽndən ˈʃip
incendio a bordo	**fire on board**	ˈfaiə ɒnˈbɔːd
punto di raccolta	**muster station**	ˈmʌstəˈsteiʃn
salvagente	**lifebelt**	ˈlaifbelt
scialuppa	**lifeboat**	ˈlaifbəut
sirena	**siren/whistle**	ˈsaiərən /ˈhwisəl
uomo in mare	**man overboard**	ˈmænˈəuvəbɔːd

2.4 IN TRENO

IN STAZIONE

INFORMAZIONI, BIGLIETTI, PRENOTAZIONI

diretto	**through train**	'θru:'trein
espresso	**express train**	ikspréś'trein
locale	**stopping train**	'stɒpiŋ'trein
rapido	**non-stop/ extra fare train**	nɒnstɒ́p / 'ekstrə'feə'trein
regionale	**regional train**	'ri:dʒənəl'trein
treno	**train**	'trein
vagone	**carriage**	'kæridʒ

Dov'è …
Could you tell me where …
… l'ufficio informazioni?
… **the information bureau is?**
… la biglietteria?
… **the ticket office is?**
… il binario numero … ?
… **platform number … is?**
… il bar/ristoro?
… **the bar/refreshment kiosk is?**
… la sala d'attesa?
… **the waiting room is?**
… il deposito bagagli?
… **the left luggage office is?**
… un carrello portabagagli?/un facchino?
… **I can find a luggage trolley?/I can find a porter?**

Qual è la tariffa per collo?
What is the charge per piece?

Porti il bagaglio …
Please take this luggage …
… al marciapiede/binario … .
… **to platform … .**
… alla carrozza … .
… **to coach … .**
… al deposito bagagli.
… **to the left luggage office.**
… al taxi.
… **to the taxi rank.**

A che ora parte il prossimo treno per … ?
What time is the next train for … due to leave?

Vorrei conoscere …
I'd like information about …

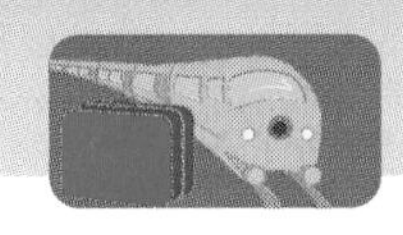

... le partenze/gli arrivi ...
... (2)**departures/arrivals** ...
... la mattina/il pomeriggio/ la sera/la notte.
... (1)**morning/afternoon/evening/overnight** ...
... per/da ... .
... (3)**for/from ... .**

Da che binario parte il treno ... delle ore ... per ... ?
What platform does the ... (ore) **train for** ... (luogo) **leave from?**

A che ora arriva a ... ?
What time does it arrive at ... ?

Ferma a ... ?
Does it stop at ... ?

È necessario cambiare?
Do I need to change?

Dopo quanto c'è la coincidenza?
How long do I have to wait for a connection?

C'è supplemento rapido/prenotazione obbligatoria?
Is there a supplementary charge?/Is reservation compulsory?

Ci sono limitazioni?
Are there any restrictions?

Quanto costa ...
How much is ...

... un biglietto di prima/seconda classe per ... ?
... **a first/second class ticket for ... ?**
... un biglietto di andata e ritorno per ... ?
... **a return ticket for ... ?**
... la prenotazione?
... **the reservation fee?**
... il supplemento?
... **the supplementary charge?**
... la cuccetta/il vagone letto?
... **a couchette/a sleeping-car?**

Per quanti giorni è valido il biglietto?
How many days is the ticket valid for?

Ci sono tariffe ridotte per ...
Are there any reduced fares for ...

... giovani/studenti?
... **schoolchildren/students?**
... pensionati?
... **senior citizens?**
... bambini sotto i ... anni?
... **children under ... years?**

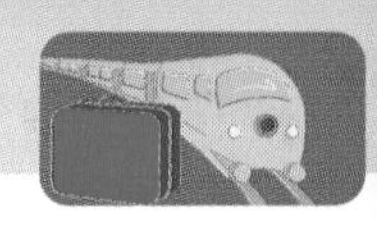

... disabili/gruppi?
... disabled persons/parties?

Ci sono biglietti chilometrici?
Do you offer circular tour tickets?

Ci sono abbonamenti settimanali/mensili?
Are there any weekly/monthly season tickets?

Un biglietto di andata/andata e ritorno per ... .
A single/return ticket for ... .

Un biglietto per ... in data ... .
A ticket for ... on ... .

Vorrei prenotare ...
I'd like to reserve ...

... un posto (non) fumatori sul treno ... del giorno ...
... a (non) smoker's seat on the ... train on ... (data).
... una cuccetta sul treno ... del giorno ... .
... a couchette on the ... train on ... (data).
... un posto in vagone-letto.
... a berth in a sleeping car.
... una cabina singola.
... a single compartment.
... una cabina due/tre letti.
... a double/triple compartment.

POSSIBILI ANNUNCI DALL'ALTOPARLANTE

... train number ... due at ... from ... is in arrival at platform ... .
Il treno ... numero ... delle ... proveniente da ... è in arrivo al binario ...

... train number ... scheduled to leave at ... for ... is about to depart from platform ... ; stopping at ... .
Il treno ... numero ... delle ... per ... è in partenza dal binario ... . Ferma a ... .

... train number ... , scheduled to arrive at ... , will be delayed ... minutes.
Il treno ... numero ... delle ... viaggia con un ritardo di ... minuti.

... train number ... scheduled to leave at ... will leave from platform ... instead of platform ... .
Il treno ... numero ... delle ... partirà dal binario ... anziché dal binario ... .

Owing to strike action/technical reasons, ... train number ... has been cancelled.
Il treno ... numero ... è stato soppresso causa sciopero/per motivi tecnici.

2.4 IN TRENO

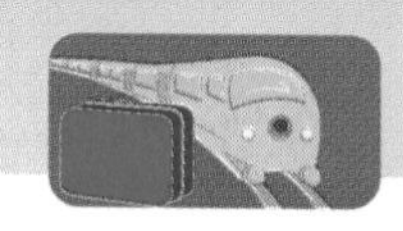

SUL TRENO

bagagliaio	**luggage compartment**	ˈlʌgidʒ kəmpáːtmənt
capotreno	**guard**	ˈgaːd
controllore	**conductor**	kəndʌktə
scompartimento	**compartment**	kəmpáːtmənt

È questo il treno delle … per … ?
Is this the … (ore) **train for … ?**

Scusi, è libero questo posto?
Excuse me, is this seat free?

> ***No, I'm afraid it's occupied.***
> *No, è occupato.*

Dov'è il posto … della carrozza … ?
Where is seat … in coach … ?

Questo è il mio posto. Ho la prenotazione.
I believe this is my seat. I have the reservation.

> ***Tickets, please.***
> *Biglietti, signori!*

C'è una cuccetta/un posto nel vagone-letto?
Is there a couchette/a berth in the sleeping car?

Posso aprire/chiudere il finestrino?
May I open/close the window?

Dov'è la carrozza ristorante?
Can you tell me where the dining car is, please?

Permesso, vorrei passare.
Excuse me, may I pass, please?

A che stazione siamo?
Which station are we at?

Può avvisarmi quando arriviamo a … ?
Could you tell me, please, when we arrive at … ?

Può svegliarmi alle … ?
Could you wake me at … , please?

A che binario si trova la coincidenza per … ?
Which platform is the connection for … at?

È questa la stazione di … ?
Is this the station of … ?

2.5 USARE I MEZZI PUBBLICI

TAXI

Dove posso trovare un taxi?
Can you tell me where I can find a taxi, please?

Qual è il numero telefonico del radio-taxi?
What is the radio-taxi telephone number?

Mi può chiamare un taxi?
Could you call me a taxi, please?

Vorrei prenotare un taxi per oggi/domani alle ore … .
I'd like to book a taxi for today/tomorrow at … .

È libero?
Are you free?

> ***No, I'm afraid I'm off duty.***
> *No, sono fuori servizio.*

Quanto costa la corsa fino a … ?
How much is the fare to … ?

È in vigore la tariffa extraurbana/festiva/notturna?
Are you going to charge me the long-distance/ holiday/ night-time rate?

Mi porti …
Please take me …

> … a questo indirizzo/all'hotel … .
> **… to this address/ to Hotel … .**
> … all'aeroporto/ alla stazione.
> **… to the airport/to the station.**
> … all'ospedale.
> **… to the hospital.**
> … in centro.
> **… into the centre.**
> … in via/piazza … .
> **… to … Street/Square.**

All'angolo giri a destra/sinistra.
At the corner, turn right/left.

Continui diritto.
Keep straight on.

Ho molta fretta!
I'm in a great hurry!

Posso aprire il finestrino?
May I open the window?

Potrebbe andare più piano?
Could you go more slowly, please?

Si fermi qui.
Would you stop here, please.

2.5 USARE I MEZZI PUBBLICI

Mi può aspettare qui? Torno fra … minuti.
Can you wait for me here? I'll be back in … minutes.

Quanto spendo?
How much will that be?

PRENDERE L'AUTOBUS, IL FILOBUS O IL TRAMWAY

capolinea	**terminus**	ˈtɜ:minəs
circolare	**circle line**	ˈsɜ:kəlˈlain
controllore	**conductor**	kəndʌ́ktə
deposito	**deposit**	dipɒ́sit
fermata	**bus stop**	ˈbʌsstɒp
a richiesta	**request bus stop**	rikwéstˈbʌsstɒp
obbligatoria	**compulsory bus stop**	kəmpʌ́lsəri ˈbʌsstɒp
linea	**line**	ˈlain

Se prevedete di utilizzare i trasporti pubblici vi consigliamo di informarvi sul loro uso, tariffe e orari presso la reception dell'albergo, i tourist info e gli uffici della compagnia di trasporto.

Ha una cartina della rete dei trasporti?
Have you got a guide to public transport, please?

Quale autobus mi porta a. … ?
Which bus will take me to … ?

Con che frequenza passa il … ?
How often does the … bus run?

A che ora passa il primo/l'ultimo autobus?
When do buses start/stop running?

Ci sono autobus notturni?
Do buses run at night?

Dove si compra il biglietto dell'autobus?
Where can I buy a bus ticket?

> ***On board the bus.***
> *Direttamente sull'autobus.*
>
> ***Where there is a sign saying … .***
> *Dove vede la scritta … .*
>
> ***From automatic vendors at bus stops.***
> *Ai distributori automatici presso le fermate.*

Quanto costa il biglietto …
How much is …

> … per una corsa singola?
> **… a single one-way ticket?**

... da dieci corse?
... a multiple/10 trip ticket?
... da 60/90/120 minuti?
... an hourly/a 90 minute/a two hourly ticket?
... giornaliero turistico?
... a daily travel card?
... settimanale/mensile?
... a weekly/monthly ticket?

Ci sono biglietti ridotti/abbonamenti ...
Are any reduced/season tickets available ...
... per giovani/studenti/disabili/gruppi?
... for children/students/disabled persons/groups?

Vorrei un biglietto da ... corse/minuti.
I'd like a multiple/hourly ticket.

Dov'è la fermata del numero ... in direzione ... ?
Where is the stop for number ... in the direction of ... ?

Quest'autobus passa da via. ... ?
Does this bus go to ... Street?

No, you need number ... .
No, deve prendere il ... .

Quante fermate ci sono da qui a via ... ?
How many stops are there before ... Street?

SULL'AUTOBUS

È questa via ... ?
Is this ... Street?

Devo andare in via ... , quando devo scendere?
Can you tell me when to get off for ... , please?

Permesso, devo scendere!
Excuse me, I need to get off here.

METROPOLITANA

Abbiamo immaginato una rete metropolitana complessa, con molte stazioni e coincidenze. Controllate sempre la direzione del treno e seguite la segnaletica, solitamente molto circostanziata.

Dov'è una stazione della metropolitana?
Can you tell me where there is an underground station, please?

Ha una cartina della rete della metropolitana?
Have you got a map of the underground, please?

Che linea si prende per andare a ... ?
What line do I take for ... ?

2.5 USARE I MEZZI PUBBLICI

You must take the … line in the direction of … as far as … and then get the … line going (to) … .
Deve prendere la linea … in direzione … fino a … e lì prendere la linea … in direzione … .

A che ora passa il primo/l'ultimo treno?
What time is the first/last train?

Ci sono abbonamenti speciali turistici?
Are there any special season tickets for tourists?

Vorrei un biglietto giornaliero/settimanale/mensile.
I'd like a daily/weekly/monthly ticket .

Da quale marciapiede/livello parte la linea … in direzione … ?
What platform/level does line … in the direction of … leave from?

Questo treno va a … ?
Excuse me, does this train go to … ?

You have to take the train going the other way.
Deve prendere il treno nella direzione opposta.

This train does not stop at … .
Questo treno non ferma a … .

La prossima stazione è … ?
Is the next station … ?

Quante fermate mancano a … ?
How many stops are there before … ?

POSSIBILI CARTELLI E AVVISI NELLE STAZIONI DELLA METROPOLITANA

… station is closed for works.
La stazione di … è chiusa per lavori.

Do not cross over the … line if a train is approaching.
All'arrivo del treno non oltrepassare la linea … .

It is strictly forbidden to cross the track.
Vietato attraversare i binari.

Retain/Keep your ticket until the exit.
Conservare il biglietto fino all'uscita.

IN VIAGGIO SU AUTOBUS E PULLMAN EXTRAURBANI

In questo caso si prendono in considerazione le esigenze di coloro che ricorrono ai pullman per spostamenti oppure per il sightseeing. Per quanto riguarda la fraseologia relativa alle vere e proprie escursioni in pullman, si veda la situazione 5.2.

2.5 USARE I MEZZI PUBBLICI

Dov'è …
Can you tell me where …
… la stazione degli autobus?
… the bus station is, please?
… l'ufficio informazioni/la biglietteria?
… the information/ticket office is, please?

Mi può dare gli orari dei pullman per … ?
Can you give me the times of coaches for … , please?

Ci sono corse nei giorni festivi?
Do coaches run at weekends and on public holidays?

C'è un pullman per … ?
Is there a coach for … ?

Ci sono pullman che fanno la visita guidata della città?
Are there guided sightseeing tours of the city by coach?

Quanto impiega il pullman ad arrivare a … ?
How long does the coach take to get to … ?

Quanto costa un biglietto …
How much does a … (1) **ticket … cost?**
… andata e ritorno …
… (1) **single/return …**
… per adulti/per bambini …
… for an adult/a child …
… con/senza bagaglio per … ?
… with/without luggage …

Ci sono sconti per giovani/ studenti/ gruppi/turisti?
Is there a reduction for children/ students/groups/tourists?

Quanto costa l'abbonamento settimanale/mensile?
How much does a weekly/monthly ticket cost?

Vorrei prenotare … posti sull'autobus delle … per … .
I'd like to book … seats on the … bus for … .

Vorrei un posto davanti/al finestrino/(non) fumatori.
I'd like a front/window/(non)smoker's seat.

Ci saranno soste durante il tragitto?
Will there be any stops on the journey?

A BORDO DEL PULLMAN

È libero questo posto?
Is this seat free?

Mi scusi, mi fa passare?
Excuse me, will you let me through, please?

Può fermare un attimo? Mi sento male.
Can you stop a moment, please. I feel sick.

A che ora arriveremo a … ?
What time do we get to … ?

2.6 DOCUMENTI E UFFICI PUBBLICI

Per comodità, si raggruppa qui il lessico relativo agli uffici pubblici coi quali è possibile entrare in contatto nel corso di un normale viaggio ed ai relativi servizi, documenti e funzioni. Per quanto riguarda il furto di documenti e altri tipi di inconvenienti, si veda Furti e scippi, Area 4.2.

ambasciata	**embassy**	ˈembəsii
ambasciatore	**ambassador**	æmbæ̍sədə
certificato	**certificate**	səˈtifikət
consolato	**consulate**	ˈkɒnsjulət
console	**consul**	ˈkɒnsjul
documento	**document**	ˈdɔkjumənt
nazionalità	**nationality**	ˌnæʃənæ̍liti

Dov'è …
Can you tell me where …
… l'ambasciata italiana?
… the Italian embassy is, please?
… il consolato italiano?
… the Italian consulate is, please?
… l'ufficio immigrazione?
… the immigration office is, please?
… la capitaneria di porto?
… the harbour master office is, please?
… l'ufficio che rilascia licenze di caccia/di pesca?
… the office issuing shooting/fishing licences is, please?

Devo vidimare il passaporto.
My passport needs stamping.

Devo rinnovare il permesso di soggiorno.
My temporary residence permit needs renewing.

Devo fare la licenza di caccia/di pesca.
I need a shooting/fishing licence.

Your gun licence and gun registration number, please.
Prego, porto d'armi e matricola del fucile.

Di quali documenti ho bisogno?
What documents do I need?

No formality is required.
Non è necessaria alcuna formalità.

A few particulars are lacking from your papers.
La documentazione è incompleta.

Please show me … .
Prego, mi mostri … .

2.7 NOLEGGIO DI AUTO E DI ALTRI MEZZI

NOLEGGIARE UN'AUTO

Per indicare, se necessario, parti del veicolo o della meccanica al momento del noleggio, fare riferimento alla voce Guasti, 4.1.

Dov'è un'agenzia di autonoleggio?
Can you tell me where there is a car-hire firm, please?
Vorrei noleggiare …
I'd like to hire …
… un'auto piccola/media/grande.
… **a small/medium-sized/big car.**
… un'auto a due/quattro/cinque posti …
… **a two/four/five-seater car** …
… con il cambio automatico/manuale.
… **with automatic/manual gears.**
… con aria condizionata.
… **with air conditioning.**
… con bagagliaio/portapacchi.
… **with a boot/luggage rack.**
… un'auto diesel.
… **a diesel-run vehicle.**
… una station wagon.
… **a station wagon.**
… un pulmino/camper per … persone.
… **a minibus/camper for** … **persons.**
… un'auto con autista.
… **a chauffeur-driven car.**
I'm afraid all the cars are taken.
Non ci sono vetture libere.
Qual è la tariffa …
What are the … (1) **rates** … (2)
… al giorno?
… (1) **daily** …
… per un fine settimana?
… (1) **weekend** …
… per un mese/per una settimana?
… (1) **monthly/weekly** …
… chilometrica/a miglio?
… (2) **per kilometre/mile?**
Esistono tariffe/offerte speciali?
Are there any special rates/offers?
Daily rates with unlimited mileage.
Tariffa giornaliera a chilometraggio illimitato.
È compresa l'assicurazione?
Is insurance included?

No, insurance is separate.
No, l'assicurazione è a parte.

L'assicurazione è integrale?
Does the insurance cover all risks?

L'assicurazione copre ...
Does the insurance cover ...

... il guidatore?
... **the driver?**
... i danni al veicolo/il furto?
... **damage to the vehicle/theft?**

Quali sono i massimali?
What is the maximum sum insurable?

Guiderà anche ... (questa persona).
(Questa persona) **will also be driving.**

Qual è il limite d'età per guidarla?
What is the age-limit for driving it?

È possibile ...
Would it be possible ...

... recarsi all'estero?
... **to take it abroad?**
... riconsegnare l'auto ...
... **to return the car** ...
... di giorno festivo/di notte/ in un'altra città?
... **on a Sunday(holiday)/at night/to another town?**

I'd like to see the driving licences of all the people who will be driving the car.
Vorrei vedere la patente di tutte le persone che guideranno l'auto.

An international licence is needed.
È necessaria la patente internazionale.

A credit card is needed to hire a car.
Per il noleggio è necessaria una carta di credito.

A full tank is included in the rates. Failure to return the car on a full tank will entail payment of the difference.
Nel prezzo è compreso il pieno: se non restituisce l'auto con il pieno dovrà pagare la differenza.

Devo usare benzina super/senza piombo/gasolio?
Am I to use super petrol/leadless petrol/diesel fuel?

Dove sono i documenti dell'auto?
Where are the car papers?

Mi può spiegare come funziona ... ?
Can you please explain how ... **functions?**

Dov'è la cassetta degli attrezzi/del pronto soccorso?
Where is the tool/first aid kit?

2.7 NOLEGGIO DI AUTO E DI ALTRI MEZZI

Scusi ...
Excuse me,
... la carrozzeria è deformata.
... the body work is dented.
... il motore non si avvia.
... the engine won't start.
... l'auto non frena.
... the brakes don't work.
... la frizione/l'acceleratore non funziona bene.
... the clutch/accelerator doesn't work properly.
... non si accendono i fari.
... the head lamps don't light up.
... non funzionano le frecce/i tergicristalli.
... the indicators/windscreen wipers don't work.
... lo sportello/il finestrino/il cofano/il bagagliaio non chiude.
... the door/the window/the bonnet/the boot doesn't close.
... mancano i documenti.
... the papers are missing.

IL NOLEGGIO DI ALTRI MEZZI DI TRASPORTO

Dove posso noleggiare ...
Where can I hire ...
... una bicicletta?
... a bicycle?
... un motorino?
... a moped?
... una moto?
... a motor-cycle?
... una barca?
... a boat?

Qual è la tariffa giornaliera?
What are the daily rates?

Vorrei noleggiare ... per ... giorni.
I'd like to hire ... for ... days.

Please leave me a document on deposit.
Mi lasci un documento come deposito.

C'è un'agenzia di autostop?
Is there a hitch-hiking agency anywhere?

AREA 3. VIVERE

3.1 SOGGIORNO E PERNOTTAMENTO

3.2 ALIMENTAZIONE

3.3 DENARO, POSTA, TELEFONO

3.4 IGIENE ED ESTETICA

3.5 CULTO

In quest'Area sono contemplate le situazioni in cui si soddisfano le normali esigenze quotidiane: dormire e riposare, mangiare e bere, cambiare la valuta, spedire posta, telefonare, lavarsi, avere cura della propria persona e, se del caso, del proprio spirito. Va sottolineato che la Situazione 3.2 (Alimentazione) è stata compilata in maniera assai dettagliata, tanto da poter servire egregiamente come repertorio lessicale anche per chi preferisca acquistare le vivande e cucinarsele per proprio conto, invece di mangiare al ristorante (per le frasi relative all'acquisto, si veda la successiva Situazione 5.4). Inoltre si è dato deliberatamente rilievo alla differenza fra le esigenze di chi consuma veri e propri pasti e quelle di chi si limita a veloci spuntini, dedicando una voce specifica, per funzionalità di consultazione, alla seconda ipotesi.

3.1 SOGGIORNO E PERNOTTAMENTO

SCEGLIERE E PRENOTARE UN ALBERGO

albergo	**hotel**	həutəl
pensione	**boarding house/ small hotel**	ˈbɔ:diŋˈhaus / ˈsmɔ:l həutəl
cameriere/a	**waiter/waitress**	ˈweitə /ˈweitris
centralino	**operator / switchboard**	ˈɒpəreitə / ˈswitʃbɔ:d
direttore	**manager**	ˈmænidʒə
portiere	**doorman**	ˈdɔ:mæn
ascensore	**lift**	ˈlif
bagno	**bathroom**	ˈbæθru:m
camera	**bedroom**	ˈbedru:m
singola	**single bedroom**	ˈsiŋgəl bedru:m
doppia	**twin bedroom**	ˈtwin
matrimoniale	**double bedroom**	dʌbəl
tripla	**b. with three beds**	wið θri:ˈbedz
coperta	**blanket**	ˈblæŋkəts
cuscino	**pillow**	ˈpiləu
doccia	**shower**	ˈʃauə
federa	**pillow case**	ˈpiləuˈkeis
lavanderia	**laundry**	ˈlɔ:ndri
lenzuolo	**sheet**	ˈʃi:t
lettino per bambini	**cot**	ˈkɒt
letto	**bed**	ˈbed
riscaldamento	**heating**	ˈhi:tiŋ
sala da pranzo	**dining room**	ˈdainiŋˈru:m
uscita di sicurezza	**security exit**	sikjúərətiˈeksit

PRENOTAZIONE TRAMITE UFFICIO TURISTICO O "TOURIST INFO"

Abbiamo previsto che il caso più frequente sia quello in cui si prenota all'arrivo, in aeroporto o in stazione, presso gli appositi uffici. Qualora prenotiate per telefono, andate al punto seguente, ma vi consigliamo in ogni caso di leggere anche questa sequenza

Dove posso prenotare un albergo?
Where can I make a hotel booking?

Vorrei prenotare un albergo a … .
I want to book a hotel in … .

Vorrei un albergo vicino …
I would like a hotel close to …

… al centro/allo stadio/agli impianti sciistici.
… the centre of town/the stadium/the ski station.
… al porto/all'aeroporto/alla stazione.
… the port/the airport/the station.

Vorrei una camera singola/matrimoniale.

3.1 SOGGIORNO E PERNOTTAMENTO

I would like a single/double room.

Vorrei una camera a due/tre letti.
I would like a room with two/three beds.

Vorrei un appartamento.
I would like a suite.

Vorrei un albergo economico/ medio/buono/di lusso.
I want a cheap/average priced/good/luxury hotel.

For how many days/nights?
Per quanti giorni/notti?

Mi tratterrò …
I shall be staying …

… dal … al … .
… **from** … **to** … **.**
… per stanotte/qualche giorno/per una settimana.
… **only tonight/a few days/a week.**

Vorrei una camera con bagno/doccia/ telefono.
I would like a room with a bath/a shower/a telephone.

Vorrei una camera TV/aria condizionata.
I would like a room with a television/air conditioning.

Desidero una camera silenziosa/con vista.
I would like a quiet room/a room with a view.

Nell'albergo c'è il garage/ il ristorante/ l'ascensore/la lavanderia/ la piscina?
Does the hotel have a garage/a restaurant/a lift/a laundry/a swimming pool?

I'm sorry, all the hotels are full.
Spiacente, tutti gli alberghi sono al completo.

Può cercare nelle vicinanze?
Can you try in the surroundings?

Quanto costa la camera a notte?
How much is the room per night?

Quanto costa l'appartamento a settimana?
How much is the suite per week?

È compresa la prima colazione?
Does it include breakfast?

Quanto costa la mezza pensione/ pensione completa?
How much does it cost with dinner, bed and breakfast/all meals?

È troppo caro, cerchi qualcos'altro.
It's too expensive, could you please look for something else?

Sì, prenoti a nome … .
Yes, book in the name of … **.**

3.1 SOGGIORNO E PERNOTTAMENTO

Arriverò alle … .
I shall arrive at … .

You must arrive before … .
Deve arrivare entro le … .

You have to pay … on account and the balance to the hotel.
Deve pagare … di acconto, il resto all'albergo.

I need an identity document/credit card.
Ho bisogno di un documento/della carta di credito.

Può darmi una piantina?
Can you give me a map?

PRENOTAZIONI TELEFONICHE O ALLA RECEPTION

Avete una camera libera per stanotte/per domani?
Do you have a room for tonight/for tomorrow?

Avete una camera libera per una settimana?
Do you have a room for a week?

No, I'm afraid we're full.
No, siamo al completo.

Yes, we have a room.
Sì, abbiamo una camera.

I'm afraid we don't accept telephone bookings. You should come in personally.
Non accettiamo prenotazioni telefoniche. Venga di persona.

La camera è con bagno?
Is it a room with a bath?

No, with a shower.
No, con doccia.

No, the bathrooms are on the same floor.
No, i bagni sono al piano.

Mi può dare l'indirizzo esatto dell'albergo?
Can you please give me the exact address of the hotel?

Come posso raggiungere l'albergo?
How can I reach the hotel?

Where are you now?
Dove si trova lei adesso?

ALL'ARRIVO IN ALBERGO

All'arrivo in albergo vi consigliamo di specificare come avete effettuato la prenotazione (agenzia, tourist info, telefono) e mostrare la conferma della prenotazione e/o la ricevuta dell'acconto.

3.1 SOGGIORNO E PERNOTTAMENTO

Ho riservato ...
I have reserved ...

... per telefono/tramite agenzia/tramite tourist info ...
... by telephone/through an agency/through the tourist information office ...
... una/due camera/e a nome ... .
... a room/two rooms/in the name of ... .

How many nights will you be staying?
Quante notti si trattiene?

Mi trattengo ... notti/Non so ancora.
I am staying ... nights/I don't know yet.

È possibile avere una camera in più?
Is it possible to have an extra room?

È possibile avere un letto in più/un letto per il bambino?
Is it possible to have an extra bed/a cot for the baby?

Dove posso parcheggiare l'auto?
Where can I park the car?

Può far portare i bagagli in camera?
Can you have the luggage taken to the room?

È possibile depositare questo in cassaforte?
May I deposit this in the safe?

Mi può restituire i documenti?
May I have the identity documents back?

Qual è l'orario della colazione/del pranzo/della cena?
At what time is breakfast/lunch/dinner?

Qual è l'orario di chiusura notturna?
What time do you close at night?

If the front door is closed, ring the bell.
Se l'ingresso è chiuso, suoni il campanello.

Vorrei prolungare la mia permanenza di ... giorno/i.
I would like to extend my stay by a day/ ... days.

SERVIZIO IN CAMERA

La mia camera è la numero ... .
My room number is ... .

Centralino? ...
Switchboard? ...

... Mi può svegliare alle ore ... ?
... can you please wake me at ... ?
... Non mi passi telefonate in camera.
... please don't put any telephone calls through to my room.
... Posso avere la linea esterna?
... may I have an outside line?

... Può chiamarmi il numero ... di ... ?
... can you call the number ... in ... for me?

Please hold the line.
Resti in linea.

Put your receiver down. I shall ring you back.
Riagganci, le passerò io la comunicazione.

The number is engaged. Shall I try again?
Il numero è occupato. Devo riprovare?

It's ringing.
Sta squillando.

È possibile avere altri appendiabiti?
Is it possible to have some more clothes hangers?

È possibile avere del sapone/un asciugamano?
Is it possible to have some soap/a towel?

È possibile avere della carta igienica?
Is it possible to have some toilet paper?

È possibile avere la colazione/i pasti in camera?
Is it possible to have breakfast/meals in the room?

È possibile avere un altro cuscino/un'altra coperta?
Is it possible to have another pillow/another blanket?

È possibile alzare/abbassare il riscaldamento?
Is it possible to turn up/to turn down the heating?

È possibile accendere/spengere l'aria condizionata?
Is it possible to switch on/to switch off air conditioning?

Qual è il voltaggio della corrente elettrica?
What voltage is the electric current?

Servizio Bar? Per favore, ... alla camera numero ... .
Bar service? Can you please bring ... to room number ... ?

... una bottiglia di ... /uno spuntino/dei sandwich ...
... a bottle of ... /a snack/some sandwiches ...
... del caffè /del tè /la prima colazione ...
... some coffee/some tea/breakfast ...

Aspetti un momento.
Please wait a moment.

Entri.
Come in.

Appoggi pure lì.
Put it there please.

Lo metta sul mio conto.
Please put it on my account.

3.1 SOGGIORNO E PERNOTTAMENTO

DURANTE LA PERMANENZA

Per le frasi e il lessico relativi alla prima colazione, il bar e il ristorante si veda la voce Alimentazione e bevande, area 3.2.

Dov'è la sala da pranzo/ il bar?
Where is the dining room/the bar?
Dov'è la piscina/ la lavanderia?
Where is the swimming pool/the laundry?

Se qualcuno mi cerca, ...
If anyone is looking for me ...
... sarò di ritorno per le ore ... .
... **I shall be back at** ... .
... sono al bar/ristorante.
... **I am in the bar/restaurant.**
... non ci sono per nessuno fino alle ore ... .
... **I am not in until** ... .
Se mi cerca il sig. ... , gli dia questo messaggio.
If Mr ... **should look for me, please give him this message.**
Ci sono messaggi per me?
Are there any messages for me?
Vorrei cambiare ... dollari/lire.
I would like to change ... **dollars/lire.**
Mi può far preparare il cestino per il pranzo?
Can you prepare a packed lunch for me?
L'albergo ha un servizio di pullman/taxi?
Does the hotel have a bus/taxi service?

IN CASO DI DIFFICOLTÀ PER LA CAMERA E IL SERVIZIO

C'è un errore, avevo chiesto ...
There is a mistake, I asked for ...
... un appartamento.
... **a suite.**
... una camera singola.
... **a single room.**
... una camera doppia/a tre letti.
... **a double room/a room with three beds.**
Avevo chiesto una camera con ...
I asked for a room with ...
... bagno/doccia.
... **a bath/a shower.**
... letto per il bambino.
... **a cot for a child.**

… telefono//frigo-bar/televisore.
… a telephone/a frigobar/a television.

Vorrei cambiare camera.
I would like to change my room.

La camera è troppo rumorosa/piccola.
The room is too noisy/small.

La mia camera non è stata rifatta.
My room has not been cleaned.

Il riscaldamento/l'aria condizionata …
The heating/The air conditioning …

Il rubinetto/la doccia/l'acqua calda …
The tap/The shower/The hot water …

Il telefono/il televisore/la luce …
The telephone/The television/The light …

Lo scarico del gabinetto/del lavandino/della vasca …
The toilet flush/The basin drain/The bath drain …

… non funziona.
… **does not work.**

Il cassetto/ la porta dell'armadio non si apre/chiude.
The drawer/The cupboard door does not open/close.

La porta/ la finestra/ la tapparella non si apre/chiude.
The door/The window/The shutter does not open/close.

Il letto è troppo duro/morbido.
The bed is too hard/soft.

Gli asciugamani/i lenzuoli sono sporchi.
The towels/The sheets are dirty.

Ho perso la chiave.
I have lost the key.

Sono rimasto chiuso fuori dalla mia stanza.
I am locked out of my room.

Qualcuno è entrato nella mia stanza.
Someone has been into my room.

Sono stato derubato all'interno dell'albergo.
I have been robbed inside the hotel.

Voglio sporgere denuncia/reclamo.
I want to make a report/a complaint.

Vorrei parlare con il direttore.
I want to speak to the manager.

IN CASO DI DIFFICOLTÀ DA PARTE DELL'ALBERGO

I am afraid that we must change your room.
Dobbiamo spostarla di camera.

The lift is out of order.
L'ascensore è fuori servizio.

Room service is not available until ... .
Il servizio in camera è sospeso fino alle ore ... .

There is an extra charge for this service.
Per questo servizio è previsto un sovrapprezzo.

The management cannot be held responsible for any damage to guests' possessions.
La direzione non si assume responsabilità per eventuali danni ad oggetti dei clienti.

PERNOTTARE NEI BED AND BREAKFAST

Avete un elenco dei B&B?
Do you have a list of bed and breakfasts?

Avete una camera libera per stanotte?
Do you have a room for tonight?

I'm afraid we are full.
Siamo al completo.

Può indicarmi un altro B&B?
Can you suggest another bed and breakfast?

Quanto costa la camera a notte?
How much does the room cost per night?

Come si raggiunge?
How do I get there?

A che ora è la chiusura della porta d'ingresso?
By what time do I have to be in at night?

La colazione non è abbondante.
Breakfast is not very generous.

SOGGIORNARE NEI CAMPING E NEI VILLAGGI TURISTICI

C'è un campeggio/villaggio turistico nella zona?
Is there a camping ground/holiday resort in the area?

Dove posso fare campeggio libero?
Where can I camp?

Camping is not allowed in this area.
Il campeggio libero è vietato in tutta la zona.

Avete posto per stanotte/tre giorni/una/due/tre settimana/e per ...
Do you have a place for tonight/three days/one/two/three weeks/for ...

... un camper/una roulotte?
... a camper/a caravan?
... una tenda piccola/media/grande?
... a small/medium/large tent?

Avete un bungalow libero per questa/la prossima/due/tre settimana/e?
Do you have a chalet for this/next/the next two/ three week/s?

Qual è il prezzo giornaliero per ...
What is the price per day for ...

... adulto/bambino?
... an adult/a child?
... automobile/bicicletta/camper/moto?
... a motor car/bicycle/camper/a motor bike?
... persona/piazzola/roulotte/tenda?
... one person/a plot/a caravan/a tent?

Il costo degli allacciamenti è compreso?
Does it include the cost of the connections?

Vorrei due piazzole vicine.
I would like two plots close together.

Dove sono/è i bagni/le docce/l'acqua potabile?
Where are/is the bathrooms/showers/drinking water?

Dov'è l'allacciamento dell'acqua/del gas/elettrico?
Where is the water/gas/electricity connection?

Dov'è lo spaccio/il ristorante/il supermarket?
Where isthe shop/the restaurant/the supermarket?

(Per chiedere informazioni sulle attività sportive e ricreative del villaggio, si consulti Spettacoli e sport, area 5.3, pag. 165)

Entro che ora devo partire?
By what time must I depart?

PERNOTTAMENTO NEGLI OSTELLI

C'è un ostello della gioventù nella zona?
Is there a youth hostel in the area?

C'è limite (min/max) di età?
Is there an age limit?

C'è un limite di notti di permanenza?
Is there a limit to the number of nights I can stay?

You need a membership card.
Ci vuole la tessera [nome dell'associazione].

Quanti letti per stanza?
How many beds to a room?

The rooms have … beds each.
Le stanze/camerate sono a … letti.

Quanto costa/ano la colazione/le lenzuola/la doccia?
How much does breakfast/do sheets/does a shower cost?

A che ora è il coprifuoco?
At what time is the front door locked?

Entro che ora bisogna confermare/liberare la camera/il posto-letto?
By what time must I confirm/vacate the room/the bed?

Si possono lasciare valori in direzione?
Can valuables be left with the management?

Dove posso lasciare i bagagli?
Where can I leave my luggage?

SOGGIORNARE IN APPARTAMENTI E RESIDENCE

Vorrei un appartamento ammobiliato con … posti letto per …
I would like a furnished apartment with … beds for …

Quanto costa alla settimana/al mese?
How much does it cost per week/month?

Nel prezzo sono comprese le spese di …
Does the price include …

… elettricità/riscaldamento/acqua?
… electricity/heating/water?
… pulizie finali?
… cleaning when I leave?

Nell'appartamento ci sono …
Are there … in the apartment?

… lenzuola e coperte/asciugamani?
… sheets and blankets/towels …
… piatti e stoviglie?
… crockery and kitchen utensils …

L'appartamento ha …
Does the apartment have …

… il frigorifero/congelatore?
… a fridge/a deep freeze?
… il garage/il giardino/il terrazzo?
… a garage/a garden/a terrace?
… il bagno/l'acqua calda/il riscaldamento?
… a bathroom/hot water/heating?

... il telefono/il televisore/l'aria condizionata?
... a telephone/a television/air conditioning?
... l'angolo cottura/la lavastoviglie/la lavatrice?
... a kitchenette/a dishwasher/a washing machine?

You have to sign the contract.
Deve firmare il contratto.

You will have to sign the inventory of items in the apartment.
Deve firmare l'inventario degli oggetti contenuti nell'appartamento

Nel mio appartamento manca/è rotto/non funziona ... .
... is missing/broken/doesn't work in my apartment.

Questi oggetti dell'inventario non ci sono.
These items on the inventory are missing.

Manca un letto per il bambino.
There is no bed for the baby.

ALLA PARTENZA: VERIFICARE E PAGARE IL CONTO

Parto subito/alle ore ... , mi può preparare il conto?
I am leaving immediately/at ... ; can you prepare my account, please?

A che ora devo lasciare la camera?
By what time must I leave the room?

Può far portare giù i bagagli?
Can you have the luggage brought down, please?

All'arrivo mi ha detto un altro prezzo ...
When I arrived I was told a different price.

Il prezzo dettomi dall'agenzia è di ... .
The agency told me that the price was ...

Ho già pagato alla mia agenzia. Ecco il voucher.
I have already paid the agency. Here's the voucher.

Questo servizio è incluso nel prezzo.
This service is included in the price.

Ho già lasciato ... di acconto.
I have already paid ... on account.

Ci deve essere un errore nel conto.
There must be a mistake in the account.

Non ho mai usato questo servizio.
I never used this service.

Mi sono trovato molto bene.
I was very comfortable.

3.2 ALIMENTAZIONE

PASTI E CIBO

Il glossario e il frasario di questa situazione servono per ordinare i pasti nei ristoranti e nei locali affini, ma servono anche nel caso si faccia la spesa e si cucini da soli. Per trovare il lessico e il frasario relativi ad alimenti e preparazioni, occorre fare riferimento ai vari pasti (prima colazione ecc.) e alle portate (minestre, carni ecc.).

cena	**dinner**	ˈdinə
cibo	**food**	ˈfu:d
mangiare	**to eat**	tuˈi:t
merenda	**snack**	ˈsnæk
pranzo, colazione	**lunch**	ˈlʌntʃ
prima colazione	**breakfast**	ˈbrekfəst
spuntino	**snack**	ˈsnæk

PRIMA COLAZIONE

Per il pane e affini si veda alla voce specifica. Si vedano anche Salse e condimenti, Frutta e Dessert.

brioches	**brioche**	bri:ɒʃ
burro	**butter**	ˈbʌtə
caffè	**coffee**	ˈkɒfi
decaffeinato	**decaffeinated c.**	di:kæfineit
caffelatte	**cafe au lait**	ˈkæfeiˌəuˈle
cappuccino	**cappuccino**	ˌkæputʃˈi:nəu
cereali	**cereals**	ˈsiriəlz
cioccolata	**chocolate**	ˈtʃɒkələt
formaggi	**cheeses**	ˈtʃi:ziz
latte	**milk**	ˈmilk
marmellata	**jam/marmalade**	ˈdʒæm /ˈma:məleid
miele	**honey**	ˈhɒni
panna	**cream**	ˈkri:m
prosciutto	**ham**	ˈhæm
salumi	**cold meats**	ˈkəuldˈmi:ts
spremuta	**squash**	ˈskwɒʃ
di arancia	**orange squash**	ˈɒrindʒˈskwɒʃ
di limone	**lemon squash**	ˈlemən ˈskwɒʃ
di pompelmo	**grapefruit s.**	ˈgreipfru:tˈskwɒʃ
succo	**juice**	ˈdʒu:s
di agrumi	**citrus juice**	ˈsitrəsˈdʒu:s
di ananas	**pineapple juice**	ˈpainæpləlˈdʒu:s
di frutta	**fruit juice**	ˈfru:tˈdʒu:s
di pomodoro	**tomato juice**	təmá:təu
tè	**tea**	ˈti:

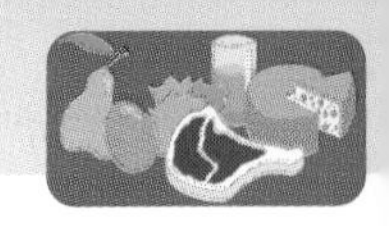

uova	**eggs**	'egz
alla coque	**soft-boiled eggs**	'sɒft -'bɔild'egz
al tegamino	**fried eggs**	'fraid'egz
con pancetta	**eggs and bacon**	'egz ənd'beikən
in camicia	**poached eggs**	'pəutʃt 'egz
fritte	**fried eggs**	'fraid 'egz
sode	**hard-boiled eggs**	'ha:d -'bɔild'egz
strapazzate	**scrambled e.**	'skræmbəld'egz
yogurt	**yoghurt**	'jɒgət
zucchero	**sugar**	'ʃugə

Vorrei fare colazione.
I would like to have breakfast.

Vorrei una colazione completa.
I would like a cooked breakfast.

Vorrei una piccola colazione.
I would like a continental breakfast.

Vorrei ancora un po' di … .
May I have a little more … .

SCEGLIERE UN RISTORANTE

Per orientarvi sulla scelta del luogo dove ristorarvi, tenendo presente che all'estero si possono consumare pasti caldi a sedere anche in locali diversi dal classico ristorante.

bar	**bar**	'ba:
birreria	**pub**	'pʌb
buffet	**buffet**	'bufei
caffè [il locale]	**cafe**	'kæfei
chiosco	**kiosk**	'ki:ɒsk
friggitoria	**fish and chip shop**	'fiʃ ənd'tʃip 'ʃɒp
panineria	**sandwich shop**	'sændwitʃ'ʃɒp
pasticceria	**pastry shop**	'pæstri'ʃɒp
rosticceria	**take-away**	'teik əwei
sala da tè	**tearoom**	'ti:ru:m
tavola calda	**snack bar**	'snækba:
vineria (Wine Bar)	**wine bar**	'wainba:

Dove posso mangiare qualcosa di caldo?
Where can I eat something hot?

Può indicarmi un ristorante …
Can you tell me where to find a … restaurant?
… nelle vicinanze/ economico?
… **nearby/cheap** …

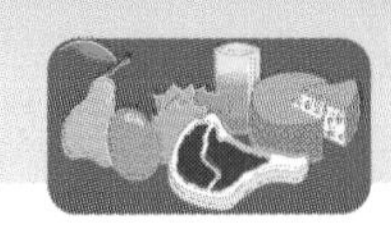

... tipico/vegetariano/aperto fino a tardi?
... **typical/vegetarian/late night** ...

A che ora apre/chiude?
At what time does it open/close?

Si può raggiungere a piedi?
Can you reach it on foot?

È necessario prenotare?
Is it necessary to book?

Mi può scrivere il nome e l'indirizzo?
Can you write down its name and address for me, please?

PRENOTARE UN TAVOLO

Queste frasi servono per prenotare telefonicamente un tavolo o per chiederlo direttamente al locale.

Vorrei prenotare un tavolo per ... persone per le ... a nome ... .
I would like to book a table for ... persons, for ... in the name of ... .

We don't take bookings.
Non prendiamo prenotazioni.

I'm sorry but we are full.
Spiacente, siamo al completo.

Può consigliarmi un altro ristorante vicino?
Can you recommend another restaurant nearby?

Ho prenotato un tavolo a nome. ... .
I have booked a table in the name of ... .

Avete un tavolo per ... persone?
Do you have a table for ... persons?

You'll have to wait, I'm afraid.
C'è da aspettare.

I'm afraid we're closing.
Stiamo chiudendo.

È libero questo tavolo?
Is this table free?

This table is reserved.
Questo tavolo è prenotato.

Vorrei un tavolo ...
I would like a table ...
... all'aperto/nel settore (non) fumatori.
... **outside/in the (non) smokers' section.**

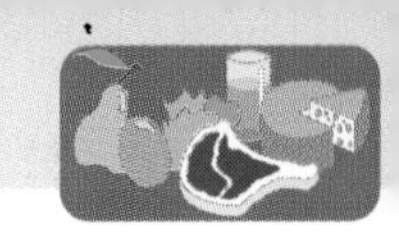

… lontano dalla/vicino alla finestra.
… away from/close to the window.

Dov'è il bar/l'attaccapanni/la toilette?
Where is the bar/coat stand/toilet?

Sto aspettando altre … persone.
I am waiting for … others.

We have service only at the tables.
Facciamo solo servizio ai tavoli.

We serve only complete/full meals.
Serviamo solo menù completi.

IL COPERTO E L'APPARECCHIATURA

Frasi ed espressioni che servono per richiedere di sostituire o aggiungere qualcosa al coperto e altre esigenze simili

ampolle	**cruets**	ˈkruːits
bicchiere	**glass**	ˈglaːs
da acqua	**water glass**	ˈwɔːtə ˈglaːs
da spumante	**champagne glass**	ˈʃampein ˈglaːs
da vino	**wine glass**	ˈwain ˈglaːs
bicchierino	**small glass**	ˈsmɔːl ˈglaːs
bottiglia	**bottle**	ˈbɒtəl
brocca, caraffa	**jug/carafe**	ˈdʒʌg / kerǽf
cannuccia	**straw**	ˈstrɔː
coltello	**knife**	ˈnaif
cucchiaio	**table spoon**	ˈteibəlspuːn
cucchiaino	**teaspoon**	ˈtiːspuːn
forchetta	**fork**	ˈfɔːk
formaggiera	**cheese dish**	ˈtʃiːz diʃ
piattino	**small plate**	ˈsmɔːlˈpleit
piatto	**plate**	ˈpleit
saliera	**salt-cellar**	ˈsɔːlt – ˈselə
scodella	**soup plate**	ˈsuːpˈpleit
stuzzicadenti	**toothpicks**	ˈtuːθpiks
tazza	**cup, mug**	ˈkʌp /ˈmʌg
tazzina	**coffee cup**	ˈkɒfiˈkʌp
tovaglia	**tablecloth**	ˈteibəlklɒθ
tovagliolo	**napkin/serviette**	ˈnæpkin /ˌsɜːviėt
vassoio	**tray**	ˈtrei
zuppiera	**soup tureen**	ˈsuːp tjuəríːn

Manca un coperto.
We need another place setting.

Può portare una forchetta/le posate/dell'altro pane?
Could you bring a fork/some cutlery/some more bread?

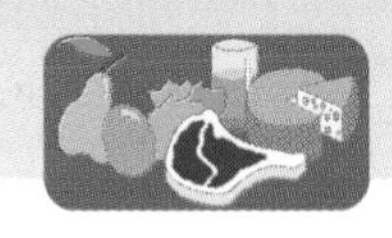

Può portare un posacenere/uno smacchiatore?
Could you bring an ashtray/something to clean with?

Può portare un seggiolone per il bambino?
Could you bring a highchair for the child?

Potrebbe portar via queste cose?
Could you take away these things?

Può portare un altro bicchiere/coltello?
Could you bring another glass/knife?

FARE L'ORDINAZIONE

Per la preparazione dei piatti vedi i punti seguenti, Cucina e preparazione e Diete e preparazioni speciali, oltre ai punti relativi alle singole portate.

Cameriere/a, prego.
Waiter/waitress.

Mi può portare il menu/la lista dei vini?
Could you bring me the menu/wine list?

Do you want to eat à la carte?
Volete mangiare alla carta?

Un momento, non abbiamo ancora scelto.
We haven't decided yet.

Vorrei ordinare.
I'd like to order.

Che cosa mi consiglia?
What can you recommend?

Qual è il piatto/il menu del giorno?
What is the dish/menu of the day?

Qual è la specialità della casa/locale?
What is your/the local speciality?

Avete un menu vegetariano/turistico/a prezzo fisso?
Do you have a vegetarian/tourist/fixed price menu?

Avete piatti unici?
Do you serve light luncheons/suppers?

Avete mezze porzioni/porzioni per bambini?
Do you have half/children's portions?

I piatti sono serviti con contorno incluso nel prezzo?
Are vegetables included in the price of the dishes?

Il servizio e il coperto sono compresi nel prezzo?
Is service and cover charge included?

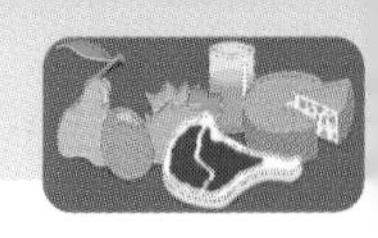

They're all included.
È tutto compreso.
Service is not included.
Il servizio non è compreso.

Di primo prendo … , di secondo … con contorno di … .
As a first course I shall have … , as a second … with … .

You will have to wait a little for this dish
Per questo piatto c'è un po' da aspettare.
The … is for a minimum of two people
Di questo piatto serviamo minimo due porzioni.
That is finished, I'm afraid.
L'abbiamo terminato.

Il secondo lo ordiniamo dopo.
We'll order our second courses afterwards.

Abbiamo fretta, può servirci subito?
We are in a hurry, would you be able to serve us immediately?

È molto che stiamo aspettando, potrebbe servirci?
We've been waiting rather long, could you serve us?

CUCINA E PREPARAZIONE DEI PIATTI

affumicato	**smoked**	ˈsməukt
al naturale	**plain**	ˈplein
arrosto	**roasted**	ˈrəustid
bollito	**boiled**	ˈbɔild
brasato	**braised**	ˈbreizd
fresco	**fresh**	ˈfreʃ
surgelato	**frozen**	ˈfrəuzn
bollente	**boiling**	ˈbɔiliŋ
cottura, cuocere	**cooking method, to cook**	ˈku:kiŋˈmeθəd tuˈku:k
al sangue	**rare**	ˈreə
normale	**normal**	ˈnɔ:məl
media	**medium**	ˈmi:diəm
a bagnomaria	**in a bainmarie**	in əˌbæ̃mæri:
a vapore	**steamed**	ˈsti:md
al forno	**baked**	ˈbeikt
al piatto	**warmed-up**	ˈwɔ:md-ʌp
al tegame	**in a frying-pan**	in əˈfraiŋ-pæn
alla griglia	**grilled**	ˈgrild
allo spiedo	**on a spit**	ɒn əˈspit
in casseruola	**casseroled**	ˈkæslərəul
in padella	**in a frying-pan**	in ə ˈfraiŋ-pæn
in teglia	**in an oven dish**	in ənˈəuvənˈdiʃ

3.2 ALIMENTAZIONE

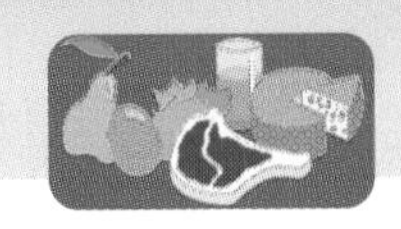

in umido	**stewed**	ˈstjuː d
condito	**dressed/seasoned**	ˈdrest /ˈsiːznd
crudo	**raw**	ˈrɔː
farcito, ripieno	**stuffed, filled**	ˈstʌft /ˈfild
fritto	**fried**	ˈfraid
marinato	**marinated**	ˈmærineitid
pasticcio	**pie/pastry**	ˈpai /ˈpeistri
purea	**purée**	ˈpjuərei
stufato	**stew/stewed**	ˈstjuː /ˈstjuːd

Come è cucinato questo piatto?
How is this dish cooked?

Quali sono gli ingredienti di questo piatto?
What is in this dish?

È piccante?
Is it piquant?

Non posso mangiare il …
I cannot eat …

Ben cotto, per favore.
Well cooked, please.

DIETE E PREPARAZIONI SPECIALI

Questo piatto contiene. …
Does this contain …
… alcool/carne di maiale/farina/formaggio?
… **alcohol/pork/flour/cheese?**
… grasso/pesce/sale/uovo/zucchero?
… **fat/fish/salt/egg/sugar?**

Avete … per diabetici?
Do you have a diabetic …
… dessert/dolci/un menu/dolcificante …
… **dessert/sweet/menu/sweetener?**

Potrei avere un dolcificante dietetico?
Could I have an artificial sweetener?

SALSE, PANE E CONDIMENTI

aceto	**vinegar**	ˈvinigə
azimo	**unleavened**	ʌnlevnd
burro	**butter**	ˈbʌtə
crackers	**crackers**	ˈkrækəz ə
grissini	**bread sticks**	ˈbredstiks
limone	**lemon**	ˈlemən
maionese	**mayonnaise**	ˌmeiənéiz
margarina	**margarine**	ˌmaːdʒəriːn

olio	**oil**	'ɔil
di semi	**corn oil**	'kɔ:n'ɔil
di arachide	**peanut oil**	'pi:nʌt'ɔil
di girasole	**sunflower seed oil**	'sʌnflauə-'si:dˌɔil
d'oliva	**olive oil**	'ɒliv'ɔil
pane	**bread**	'bred
bianco	**white bread**	'wait'bred
integrale	**brown bread**	'braun'bred
tostato	**toast**	'təust
panini	**bread rolls**	'bred'rəul
pepe	**pepper**	'pepə
sale	**salt**	'sɔ:lt
salsa	**sauce**	'sɔ:s
di pomodoro	**tomato sauce**	təmá:təu
di soia	**soya sauce**	'sɔiə'sɔ:s
tartara	**tartar sauce**	'ta:tə'sɔ:s
senape	**mustard**	'mʌstəd

È già condito?
Is it already seasoned?

Vorrei della verdura/dell'insalata senza condimento.
I would like some vegetables/salad without any dressing.

BEVANDE

bevande	**drinks**	'driŋks
– dietetiche	**diet drinks**	'daiət'driŋks
lattina	**can**	'kæn
acqua	**water**	'wɔ:tə
minerale	**mineral water**	'minərəl'wɔ:tə
naturale	**still mineral water**	'stil'minərəl'wɔ:tə
gassata	**sparkling mineral 'water**	'spa:kliŋ'minərəl wɔ:tə
acqua tonica	**tonic**	'təunik
aranciata	**orange drink**	'ɒrindʒ 'driŋk
birra	**beer**	'biə
alla spina	**draught beer**	'dra:ft'biə
piccola	**small beer**	'smɔ:l'biə
media	**medium beer**	'mi:diəm 'biə
grande	**large beer**	'la:dʒ 'biə
in lattina	**beer in a can**	'biə in ə'kæn
in bottiglia	**bottled beer**	'bɒtəl'biə
chiara	**light beer**	'lait'biə
rossa	**dark beer**	'da:k'biə
scura	**dark beer/stout**	'da:k'biə /'staut

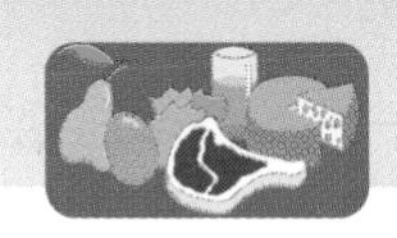

gassosa, limonata	**lemonade**	ˌlemənèid
sidro	**cider**	ˈsaidə
vino	**wine**	ˈwain
della casa	**house wine**	ˈhausˈwain
del posto	**local wine**	ˈləukəlˈwain
di marca	**estate wine/ choice wine**	ˈisteit ˈwain / ˈtʃɔisˌwain
in bottiglia	**bottled wine**	ˈbɒtəld ˈwain
in caraffa	**carafe of wine**	kəræ̀f ɒvˈwain
sfuso	**wine from the barrel**	ˈwain frɒm θə ˈbærəl
bianco	**white wine**	ˈhwait ˈwain
rosé	**rosé wine**	ˈrəuzei ˈwain
rosso	**red wine**	ˈred ˈwain
da dessert, amabile	**dessert wine, sweet wine**	dizɜ̀:t ˈwain ˈswi:t ˈwain
secco	**dry wine**	ˈdrai ˈwain
spumante	**sparkling wine**	ˈspa:kliŋ ˈwain
a temperatura ambiente	**w. at room temperature**	ˈwain ætˈru:m ˈtemprətʃə
di cantina	**chilled wine**	ˈtʃild ˈwain
ghiacciato	**wine on ice**	ˈwain ɒnˈais

What would you like to drink?
Cosa ordina da bere?

Può portare la lista dei vini?
Could you bring me the wine list?

Servite vino in bicchieri?
Do you serve wine by the glass?

Una caraffa di … .
A carafe of … .

We have only bottled wine.
Abbiamo solo vino in bottiglia.

Una bottiglia di … .
A bottle of … .

Quali sono i vini della zona?
Which are the local wines?

Com'è il vino della casa?
What is the house wine like?

Mi può consigliare un vino per questo piatto?
Can you recommend a wine to go with this dish?

Vorrei una birra … .
I would like a beer.

3.2 ALIMENTAZIONE

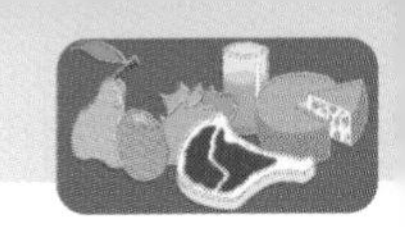

Quali marche di birra avete?
What brands of beer do you have?

We have only draught beer/beer in bottles.
Abbiamo solo birre alla spina/in bottiglia.

Un bicchiere/una coppa/una lattina di … .
a glass/a glass/a can of … .

Potrei avere una cannuccia?
May I have a straw?

I PASTI PRINCIPALI

APERITIVI E ANTIPASTI

Per integrare il lessico relativo agli Aperitivi si vedano anche i punti Bevande e Liquori, mentre per quanto riguarda gli Antipasti si può integrare il frasario con vocaboli dei punti relativi alla Prima colazione, alle Insalate e agli Spuntini.

aperitivo	**apéritif**	əperitíːf
alcolico	**alcoholic a.**	ˌælkəhɒ́lik əperitíːf
leggero	**light apéritif**	ˈlait əperitíːf
secco	**dry apéritif**	ˈdrai əperitíːf
liscio	**neat/straight a.**	ˈniːt /ˈstreit
analcolico	**non-alcoholic a.**	nɒn-ælkəhɒ́lik
della casa	**house apéritif**	ˈhaus əperitíːf
antipasti	**hors d'oeuvre**	ɔːdɜːvr
caldi	**hot h. d'o.**	ˈhɒt ɔːdɜːvr
freddi	**cold h. d'o.**	ˈkəuld ɔːdɜːvr
di mare	**seafood salad**	ˈsiːfuːdˈsæləd
misti	**mixed h.d'o.**	ˈmikst ɔːdɜːvr
acciughe	**anchovies**	ˈæntʃəvi
aragosta	**lobster/crayfish**	ˈlɒbstə /ˈkreifiʃ
aringhe	**herring**	ˈheriŋ
asparagi	**asparagus**	əspǽrəgəs
avocado	**avocado**	ˌævəkáːdəu
carciofi	**globe artichokes**	glaubˈaːtitʃəuks
caviale	**caviar**	ˈkæviaː
cetriolo	**cucumber**	ˈkjuːkəmbə
chiocciole	**snails**	ˈsneils
cozze	**mussels**	ˈmʌsəls
crostini	**canapés**	ˈkænəpis
funghi	**mushrooms**	ˈmʌʃruːm
gamberetti	**shrimps**	ˈʃrimps
granchio	**crab**	ˈkræb
insalata russa	**Russian salad**	ˈrʌʃən ˈsæləd
lingua salmistrata	**corned tongue**	ˈcɔːndˈtʌŋ
melone	**melon**	ˈmelən

olive	**olives**	'ɒlivs
ostriche	**oysters**	'ɔistə z
pancetta	**bacon**	'beikən
affumicata	**smoked bacon**	'sməukət'beikən
paté	**pâté**	'pætei
peperoni	**peppers**	'pepəz
prosciutto	**ham**	'hæm
affumicato	**smoked ham**	'sməukt 'hæm
cotto	**cooked ham**	'ku:kt 'hæm
crudo	**raw ham**	'rɔ: 'hæm
di Praga	**Prague ham**	'pra:g'hæm
ravanelli	**radishes**	'rædiʃiz
salame	**salami**	səlá:mi
salmone	**salmon**	'sæmən
salsiccia	**sausage**	'sɔ:sidʒ
sardine	**sardines**	'sa:di:nz
scampi	**prawns**	'prɔ:nz
sgombri	**mackerel**	'mækrəl
affumicati	**smoked m.**	'sməukt'mækrəl
sottaceti	**pickles**	'pikəlz
sottoli	**vegetables in oil**	'vedʒitəbəlz in ɔil
tartine	**canapés**	'kænəpis
tonno	**tuna**	'tju:nə
tartufi	**truffles**	'trʌfəlz
uova	**eggs**	'egz
vongole	**mussels/clams**	'mʌsəlz / 'klæmz

Potrebbe servirci un aperitivo?
Could you bring us an apéritif?

C'è un tavolo degli antipasti?
Is there a buffet of hors d'oeuvre/starters?

Porti degli antipasti assortiti.
Please bring a selection of starters.

Avete un vino da antipasti?
Do you have a wine that will go with the starters?

LE INSALATE

Si veda anche la voce Salse e condimenti. È bene ricordare che in alcuni paesi l'insalata viene servita come antipasto, se quindi la si desidera come contorno consigliamo di specificarlo.

insalata	**salad**	'sæləd
– condita	**salad dressed**	'sæləd'drest
con olio e aceto	**with oil and vinegar**	wið'ɔil ənd'vinigə
con panna	**with cream**	wið'kri:m

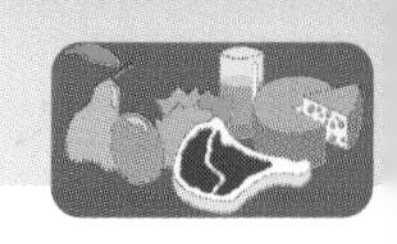

con senape	**with mustard**	wið'mʌstəd
– al naturale	**plain salad**	'plein'sæləd
– verde	**green salad**	'gri:n'sæləd
– mista	**mixed salad**	'mikst'sæləd
– di pomodori	**tomato salad**	təmá:təu'sæləd
– di riso	**rice salad**	'rais'sæləd
– nizzarda	**salad Niçoise**	'sæləd'nikuaz

Vorrei un'insalata verde/mista condita con olio e aceto.
I would like a green/mixed salad with a French dressing.
Avete piatti unici a base d'insalata?
Do you have a main course of salad?

PRIMI E MINESTRE

brodo, consommé	**soup, consommé**	'su:p kənsɒ́mei
con pastina	**c. with noodles**	wið'nu:dəlz
di manzo	**beef soup/cons.**	'bi:f'su:p / kənsɒ́mei
di pollo	**chicken soup**	'tʃikən'su:p
di pesce	**fish soup**	'fiʃ'su:p
di selvaggina	**game soup/broth**	'geim'su:p /'brɒθ
di tartaruga	**turtle soup**	'tɜ:təl'su:p
vegetale	**vegetable soup**	'vedʒitəbəl'su:p
crema	**cream**	'kri:m
di asparagi	**c. of asparagus**	'kri:m ɒv əspǽrəgəs
di funghi	**c. of mushroom**	'kri:m ɒv 'mʌʃru:m
di piselli	**c. of pea**	ɒv'pi:
di porri	**c. of leek**	ɒv'li:k
minestra	**soup**	'su:p
di patate	**potato soup**	pətéitəu'su:p
di verdure	**vegetable soup**	'vedʒitəbəl'su:p
passato	**soup/purée**	'su:p /'pjuərei
di sedano	**celery soup**	'seləri'su:p
di spinaci	**spinach purée**	'spinidʒ'pjuərei
di verdure	**vegetable s./ purée**	'vedʒitəbəl'su:p / 'pjuərei
zuppa	**soup**	'su:p
di cavolo	**cabbage soup**	'kæbidʒ'su:p
di cipolle	**onion soup**	'ʌnjən 'su:p
di granchi	**crab soup**	'kræb'su:p
di pesce	**fish soup**	'fiʃ'su:p
di pomodori	**tomato soup**	təmá:təu'su:p
maccheroni	**macaroni**	ˌmækərəúni
spaghetti	**spaghetti**	spəgéti
pastasciutta	**pasta**	'pæstə
alla bolognese	**pasta with meat sauce**	'pæstə wið 'mi:t'sɔ:s
al burro	**pasta with butter**	'pæstə wið'bʌtə

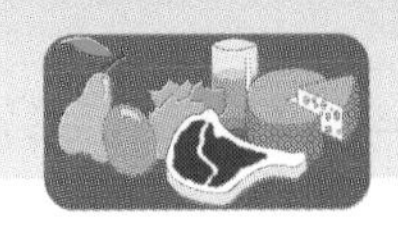

alla salsa di pomodoro	**pasta with tomato sauce**	'pæstə wið təmá:təu 'sɔ:s
riso	**rice**	'rais
al burro	**buttered rice**	'bʌtəd'rais
al curry	**curried rice**	'kʌrid'rais
all'olio	**rice with olive oil**	'rais wið'ɒliv'ɔil
in brodo	**rice in broth**	'rais in'brɒθ

Qual è la minestra del giorno?
What is the soup of the day?

Vorrei del brodo magro.
I would like a thin soup.

Servite il riso di contorno?
Do you serve rice as a side dish?

CONTORNI E AROMI

verdure	**vegetables**	'vedʒitəbəlz
alla griglia	**grilled vegetables**	'grild'vedʒitəbəlz
al vapore	**steamed v.**	'sti:md'vedʒitəbəlz
in casseruola	**casseroled vegetables**	'kæsərəu̯ld 'vedʒitəbəlz
in forno	**roasted v.**	'rəustid 'vedʒitəbəlz
in padella	**fried v.**	'fraid'vedʒitəbəlz
– condite	**v. seasoned**	vedʒitəbəlz'si:znd
con panna	**with cream**	wið'kri:m
con olio e limone	**with oil and lemon**	wið'ɔil ənd'lemən
asparagi	**asparagus**	əspǽrəgəs
barbabietole	**beetroot**	'bi:tru:t
carciofi	**artichokes**	'a:titʃəuks
carote	**carrots**	'kærəts
cavolfiore	**cauliflower**	'kɒliflau̯ə
cavolo	**cabbage**	'kæbidʒ
ceci	**chick-peas**	'tʃik-pi:z
cetrioli	**cucumbers**	'kju:kəmbəz
cicoria	**chicory**	'tʃikəri
cipolle	**onion**	'ɒnjən
crescione	**watercress**	'wɔ:təkres
fagioli	**haricot beans**	'hærikəu̯ 'bi:nz
fagiolini	**French beans**	'frentʃ'bi:nz
fave	**broad beans**	'brɔ:d'bi:nz
finocchi	**fennel**	'fenəl
funghi	**mushrooms**	'mʌʃru:mz
granturco, mais	**sweetcorn**	'swi:tkɔ:n
indivia	**endive**	'endaiv
insalata	**lettuce/salad**	'letis / 'sæləd
lattuga	**lettuce**	'letis

3.2 ALIMENTAZIONE

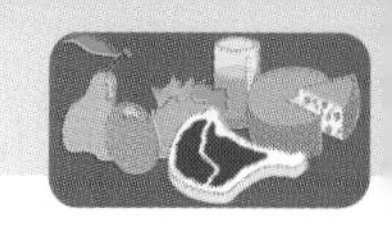

lenticchie	**lentils**	ˈlentilz
melanzane	**aubergines**	ˈəubəʒi:nz
patate	**potatoes**	pətéitəuz
fritte	**chips, fried p.**	ˈtʃips,ˈfraid pətéitəuz
a bastoncino	**matchstick p.**	ˈmætʃstik
in forno	**baked p.**	ˈbeikt
purè	**purée**	ˈpjuərei
peperoni	**peppers**	ˈpepəz
piselli	**peas**	ˈpi:z
pomodori	**tomatoes**	təmá:təuz
porri	**leeks**	ˈli:ks
radicchio	**radicchio, chicory**	rədí:kiəu,ˈtʃikəri
rafano	**horseradish**	ˈhɔ:srædiʃ
rape	**turnips**	ˈtɜ:nips
ravanelli	**radishes**	ˈrædiʃiz
sedano	**celery**	ˈseləri
zucca	**pumpkin**	ˈpʌmpkin
zucchini	**courgettes**	kuəʒéts
aglio	**garlic**	ˈga:lik
alloro	**bay**	ˈbei
basilico	**basil**	ˈbeisəl
capperi	**capers**	ˈkeipəz
menta	**mint**	ˈmint
paprika	**paprika**	ˈpæprikə
peperoncino	**chili pepper**	ˈtʃiliˈpepə
prezzemolo	**parsley**	ˈpa:sli
rosmarino	**rosemary**	ˈrəuzməri
salvia	**sage**	ˈseidʒ
zafferano	**saffron**	ˈsæfrən

PIETANZE DI CARNI

carni	**meat**	ˈmi:t
bianche	**white meat**	ˈhwaitˈmi:t
rosse	**red meat**	ˈredˈmi:t
agnello	**lamb**	ˈlæm
anatra	**duck**	ˈdʌk
cappone	**capon**	ˈkeipən
capretto	**kid/goat**	ˈkid / ˈgəut
castrato	**mutton**	ˈmʌtən
coniglio	**rabbit**	ˈræbit
faraona	**guinea-fowl**	ˈginifaul
gallina	**hen**	ˈhen
maiale	**pork**	ˈpɔ:k
manzo	**beef**	ˈbi:f
oca	**goose**	ˈgu:z
piccione	**pigeon**	ˈpidʒin
pollame	**poultry**	ˈpəultri

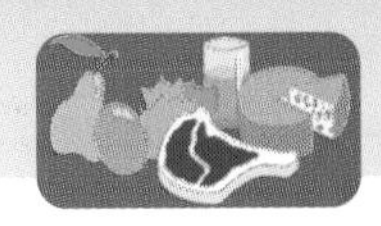

pollo	**chicken**	'tʃikən
ala	**wing**	'wiŋ
anca	**leg**	'leg
coscia	**thigh**	θai
petto	**breast**	'brest
porcellino	**sucking-pig**	'sʌkiŋ'pig
tacchino	**turkey**	'tɜːki
vitello/a	**veal**	'viːl
capriolo	**venison**	'venisən
cervo	**venison**	'venisən
cinghiale	**wild boar**	'waild 'bɔː
fagiano	**pheasant**	'fezənt
lepre	**hare**	'heə
quaglia	**quail**	'kweil
selvaggina	**game**	'geim
Parti e pezzi		
animelle	**sweetbreads**	'swiːt bredz
cuore	**heart**	'haːt
fegato	**liver**	'livə
frattaglie	**giblets/ offal**	'dʒiblits /'ɔfəl
lingua	**tongue**	'tʌŋ
lombata	**loin**	'lɔin
rognone	**kidney**	'kidni
spalla	**shoulder**	'ʃəuldə
stinchi	**shin**	'ʃin
testina	**head**	'hed
trippa	**tripe**	'traip
zampa, zampetti	**trotters**	'trɒtə
Tagli		
bistecca	**steak**	'steik
braciola	**chop**	'tʃɒp
costata	**entrecôte**	'ɒntrəkəut
cotoletta	**cutlet/chop**	'kʌtlit /'tʃɒp
filetto	**fillet**	'filit
piccata	**escalope**	'eskəlɒp
rosbif	**roast beef**	'rəustbiːf
scaloppina	**escalope**	'eskəlɒp
Preparazioni		
gelatina	**gelatine**	'dʒelətiːn
involtini	**rolled and filled**	'rəuld ənd'fild
lardellato	**with bacon**	wið'beikən
macinata	**minced**	'minst
medaglioni	**rounds**	'raundz
polpette	**rissoles**	'risəulz
sanguinaccio	**black pudding**	'blæk'pʌdiŋ
spezzatino	**stew**	'stjuː
svizzera	**rissoles/meat balls**	'risəulz /'miːtbɔːlz

3.2 ALIMENTAZIONE

Avete un piatto freddo di carne?
Do you have some cold meats?
Vorrei uno stinco di maiale al forno.
I would like a roast pork shin.
Vorrei una scaloppina di vitello.
I would like a veal escalope.
Vorrei una costata di manzo ai ferri ben cotta.
I would like a grilled entrecôte, well done.

PESCE

pesce	**fish**	ˈfiʃ
azzurro	**oily fish**	ˈɔiliˈfiʃ
bianco	**white fish**	ˈhwaitˈfiʃ
al forno	**baked fish**	ˈbeikt ˈfiʃ
alla griglia	**grilled fish**	ˈgrild ˈfiʃ
lesso	**boiled fish**	ˈbɔild ˈfiʃ
frittura	**fried fish**	ˈfraidˈfiʃ
trancio	**slice/steak**	ˈslais /ˈsteik
acciughe	**anchovies**	ˈæntʃəviz
anguilla	**eel**	ˈi:l
aragosta, astice	**lobster**	ˈlɒbstə
bianchetti	**whitebait**	ˈhwaitbeit
branzino	**bass**	ˈbæs
calamari	**squid**	ˈskwid
cappesante	**scallops**	ˈskæləps
carpa	**carp**	ˈka:p
cozze	**mussels**	ˈmʌsəlz
dentice	**dentex/bream**	ˈdenteks /ˈbri:m
frutti di mare	**seafoods**	ˈsi:fu:d
gamberetti	**shrimps**	ˈʃrimps
gamberi	**prawns**	ˈprɔ:nz
granchio	**crab**	ˈkræb
luccio	**pike**	ˈpaik
merluzzo	**cod**	ˈkɒd
molluschi	**shellfish**	ˈʃelfiʃ
muggine	**grey mullet**	ˈgreimʌlit
nasello	**hake**	ˈheik
orata	**gilt-head**	ˈgilthed
persico	**perch**	ˈpɜ:tʃ
pesce cappone	**scorpion fish**	ˈskɔ:piənˈfiʃ
pesce San Pietro	**John Dory**	ˈdʒɔ:nˈdɔ:ri
pescespada	**swordfish**	ˈsɔ:dfiʃ
pettini	**scallops**	ˈskæləps
platessa	**fluke**	ˈflju:k
polpo	**squid/octopus**	ˈskwid/ˈɒktəpəs
rana pescatrice	**angler/frog fish**	ˈæŋglə /ˈfrɒgfiʃ

rombo	**turbot**	'tɜ:bət
salmone	**salmon**	'sæmən
sardine	**sardines**	sa:d i:nz
scampi	**prawns**	'prɔ:nz
scorfano	**scorpion fish**	'skɔ:piənfiʃ
seppie	**cuttlefish**	'kʌtəlfiʃ
sgombro	**mackerel**	'mækrəl
sogliola	**sole**	'səul
stoccafisso	**stockfish**	'stɒkfiʃ
storione	**sturgeon**	'stɜ:dʒən
tonno	**tuna/tunny**	'tju:nə/'tʌni
triglia	**red mullet**	'redmʌlit
trota	**trout**	'traut

FRITTATE, FOCACCE E TORTINI

Per la preparazione delle Uova si veda sopra Prima colazione.

frittata	**omelette**	'ɒmlit
dolce	**sweet omelette**	'swi:t'ɒmlit
salata	**salted omelette**	'sɔ:ltid 'ɒmlit
al prosciutto	**ham omelette**	'hæm 'ɒmlit
al formaggio	**cheese omelette**	'tʃi:z 'ɒmlit
agli spinaci	**spinach omelette**	'spinidʒ 'ɒmlit
alle verdure	**vegetable o.**	'vedʒitəbəl 'ɒmlit
pizza	**pizza**	'pi:tsə
tortino	**pie**	'pai

FORMAGGI

formaggio	**cheese**	'tʃi:z
bovino	**cow's milk cheese**	'kauz'milk'tʃi:z
ovino	**sheep's milk ch.**	'ʃi:ps'milk'tʃi:z
fresco	**fresh cheese**	'freʃ'tʃi:z
friabile	**crumbly cheese**	'krʌmbli'tʃi:z
fuso	**melted cheese**	'meltid 'tʃi:z
grasso	**high-fat cheese**	'hai-fæt'tʃi:z
magro	**low-fat/ fat-free cheese**	'ləu-fæt /'fæt -fri: 'tʃi:z
maturo	**ripe cheese**	'raip 'tʃi:z
piccante	**piquant cheese**	'pi:kənt'tʃi:z
stagionato	**mature cheese**	mətjúə 'tʃi:z

FRUTTA

frutta	**fruit**	'fru:t
di stagione	**seasonable fruit**	'si:znəbəl'fru:t
fresca	**fresh fruit**	'freʃ'fru:t
cotta	**cooked/stewed f.**	'ku:kt /'stju:d
mista	**mixed fruit**	'mikst'fru:t

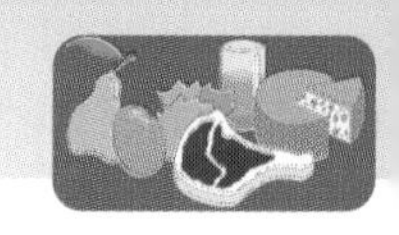

secca	**dry fruit**	ˈdraiˈfru:t
gelatina di frutta	**fruit jelly**	ˈfru:tdʒeli
macedonia	**fruit salad**	ˈfru:tsæləd
albicocca	**apricot**	ˈeiprikɒt
ananas	**pineapple**	ˈpainæpəl
anguria	**watermelon**	ˈwɔ:təmelən
arancia	**orange**	ˈɒrindʒ
banana	**banana**	bəná:nə
castagna	**chestnut**	ˈtʃestnʌt
ciliegia	**cherry**	ˈtʃeri
fragola	**strawberry**	ˈstrɔ:bəri
kiwi	**kiwi**	ˈki:wi
lampone	**raspberry**	ˈra:zbəri
limone	**lemon**	ˈlemən
mandarino	**mandarin**	ˈmændərin
mandorla	**almond**	ˈa:mənd
melarancia	**sweet orange**	ˈswi:tˈɒrindʒ
mela	**apple**	ˈæpəl
mela cotogna	**quince**	ˈkwins
noccioline	**peanuts**	ˈpi:nʌts
nocciole	**hazelnuts**	ˈhæzalnʌts
noci	**walnuts**	ˈwɔ:lnʌts
noce di cocco	**coconut**	ˈkəukənʌt
ribes rosso e nero	**red/black currant**	ˈred / ˈblækˈkʌrənt
melone	**melon**	ˈmelən
more	**blackberry/ mulberry**	ˈblækbəri / ˈmʌlbəri
mirtilli	**bilberries**	ˈbilbəriz
pera	**pear**	ˈpeə
pesca	**peach**	ˈpi:tʃ
pesca-noce	**nectarine**	ˈnektərin
pompelmo	**grapefruit**	ˈgreipfru:t
prugne	**prunes**	ˈpru:nz
susina	**plum**	ˈplʌm
uva	**grape**	ˈgreip
uva passa	**raisins**	ˈreizəns
uvaspina	**gooseberry**	ˈgu:zbəri

DESSERT

budino	**pudding**	ˈpudiŋ
crema	**custard**	ˈkʌstəd
chantilly	**creme chantilly**	ˈkrem ʃæntiˈli
pasticcera	**confectioners' cream**	kənfékʃənəri ˈkrem
dolce	**dessert**	dizɜ́:t
frittelle	**fritters**	ˈfritəz
gelato	**ice cream**	ˈaisˌkri:m

3.2 ALIMENTAZIONE

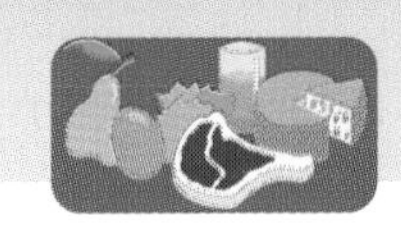

mousse	**mousse**	'mu:s
panna montata	**whipped cream**	'hwipt'kri:m
pasticcini	**pastries/teacakes**	'pæstriz /'ti:keiks
torta	**tart**	'ta:t
di frutta	**fruit tart**	'fru:tta:t
di mele	**apple tart**	'æpəlta:t

Avete un dolce della casa?
Do you make your own dessert?
Può portarci il carrello dei dolci?
Could you bring me the dessert trolley?
Questo dolce è fatto in casa?
Is this dessert made by yourselves?
Con cosa è preparato?
What is this made with?

LIQUORI E CAFFÈ

acquavite	**brandy/acquavita**	'brændi /ˌækwə'vi:tai
brandy	**brandy**	'brændi
cocktail	**cocktail**	'kɒkteil
leggero	**light cocktail**	'lait 'kɒkteil
secco	**dry cocktail**	'drai'kɒkteil
cognac	**cognac**	'kɒnjæk
vermut	**vermouth**	'vɜ:məθ
whisky	**whisky**	'wiski
con acqua	**w. with water**	wið'wɔ:tə
con ghiaccio	**w. with ice**	wið'ais
con soda	**w. with soda**	wið'səudə
liscio	**neat/straight w.**	'ni:t /'streit

Avete liquori?
Do you have liqueurs?
Per favore, un … doppio.
A double … , please.
Vorrei un caffè.
I would like an espresso coffee

SPUNTINI

Per mangiare un boccone durante visite, gite ed escursioni, in alternativa al ristorante. Per completare il lessico, vedi Bevande, Salse e condimenti, Insalate, Formaggi, Frittate e Prima colazione.

fetta	**slice**	'slais
panino imbottito	**filled bread roll**	'fild'bred'rəul

3.2 ALIMENTAZIONE

spuntino	**snack**	ˈsnæk
toast	**a toasted sandwich**	əˈtəustidˈsændwitʃ
tramezzino	**a sandwich**	əˈsændwitʃ

Dove posso fare uno spuntino?
Where can I have a snack?

Vorrei un hot-dog/hamburger.
I would like a hot-dog/hamburger.

Vorrei un panino con … .
I would like a bread roll with … .

Vorrei una fetta/porzione/un pezzo di … .
I would like a slice/portion/piece of … .

Vorrei un'insalata mista.
I would like a mixed salad.

Che cos'è questo?
What is this?

Può indicarmi gli ingredienti su questa lista?
Can you point to the ingredients on this list?

È piccante?
Is it piquant?

Servite piatti caldi?
Do you serve hot dishes?

Mi può dare un tovagliolino?
Could you bring me a napkin?

Vorrei le posate e un panino.
Could you bring me some cutlery and a bread roll?

CAMBIO DI ORDINAZIONE, COMMENTI E RECLAMI

acido	**sour**	ˈsauə
aspro	**sour/tart**	ˈsauə /ˈtaːt
bruciato	**burnt**	ˈbɜːnt
duro	**hard/tough/stale**	ˈhaːd /ˈtʌf /ˈsteil
guasto	**bad/off**	ˈbæd / ɒf
indigesto	**indigestible**	ˌindidʒéstəbəl
insipido	**tasteless**	ˈteistlis
puzzolente	**foul smelling**	ˈfaul ˈsmeliŋ
reclamo	**complaint**	kəmpléint
raffermo	**stale**	ˈsteil
salato	**salted/salty**	ˈsɔːltid /ˈsɔːlti
scotto	**burnt/overcooked**	ˈbɜːnt /ˌəuvəkúːkt
unto	**greasy**	ˈgriːzi

Potrei cambiare l'ordinazione?
Could I change my order?

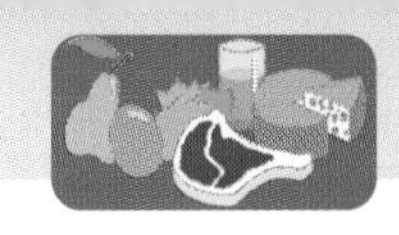

Ho ordinato del … , non questo.
I ordered … , not this.

Ha dimenticato di portare … .
You have forgotten to bring … .

Potrei avere ancora del … ?
May I have some more … ?

Le vostre porzioni sono troppo piccole.
Your portions are rather small.

Avevo chiesto mezza porzione, non una intera.
I ordered a half-portion.

Questo piatto ha uno strano sapore/odore.
This … has a rather strange taste/smell.

Questo cibo è guasto.
I think this food is off.

La minestra è fredda.
The soup is cold.

La pasta è scotta.
The pasta is burnt/overcooked.

La carne è dura/puzza.
The meat is tough/off.

L'insalata non è ben lavata.
The salad is not properly washed.

Il pane è raffermo.
The bread is stale.

Mi chiami il direttore/il proprietario.
Will you call the manager/owner for me?

Is it alright for you?
È di suo gradimento?

Questo piatto è ottimo.
This … is very good.

Complimenti allo chef.
Compliments to the chef.

CONTROLLARE E PAGARE IL CONTO

In molti paesi il servizio non è compreso nel conto, pertanto vi suggeriamo di lasciare una mancia al cameriere. Di norma la mancia è del 10-15%: vi consigliamo comunque di informarvi sulle abitudini del posto. Si sta diffondendo l'abitudine di pagare il ristorante con la carta di credito e di indicare su un apposito spazio del conto l'importo della mancia. Per semplicità vi consigliamo però di lasciarla in contanti direttamente al cameriere.

3.2 ALIMENTAZIONE

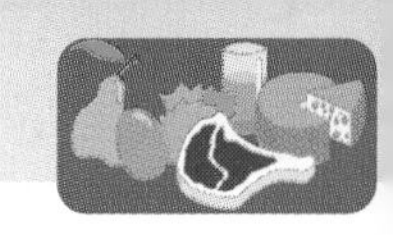

In alcuni paesi è prassi che il cameriere domandi ai clienti che cosa hanno consumato e prepari conti separati.

Mi porta il conto?
Will you bring me the bill, please?

> ***Do you want separate bills?***
> *Conti separati?*

Tutto insieme.
All together.

Che cos'è questa cifra?
What is this amount for?

Il servizio e il coperto sono compresi?
Is cover charge and service included?

> ***It's all included.***
> *È tutto compreso.*

Posso pagare con carta di credito/traveller's cheques?
May I pay by credit card/travellers' cheque?

Credo che ci sia un errore.
I think there is a mistake here.

Non ho ordinato questo.
I didn't order this.

Chiami il direttore.
Please call the manager.

> ***Please pay at the cashier.***
> *Paghi alla cassa.*

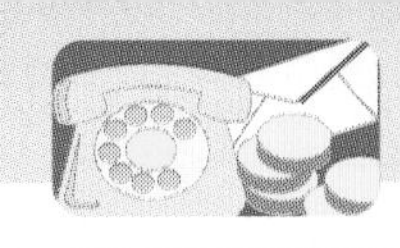

CHIEDERE I PREZZI E PAGARE I PROPRI ACQUISTI

Quanto costa?
How much does it cost?
Mi può scrivere il prezzo (la cifra)?
Can you write down the price for me?
Debbo pagare in contanti?
Do I have to pay in cash?
Accetta la carta di credito?
Do you accept credit cards?
Accetta travellers' cheques/Eurocheques?
Do you accept traveller's cheques/Eurocheques?
Posso pagare in lire?
May I pay in Italian lire?
Qual è il cambio?
What is the exchange rate?
Mi può cambiare questa banconota in monete?
Can you please change this note for me?
È un po' caro.
It's rather expensive.
Ha qualcosa di più economico?
Do you have something cheaper?
Mi può fare un po' di sconto?
Can you give me any discount?
Può fare fattura?
Could you give me an invoice?
Posso avere la ricevuta/lo scontrino?
May I have a receipt?

BANCHE E CAMBIAVALUTE

Ricordiamo che per quasi tutte le operazioni bancarie è richiesto un documento di identità.

agenzia	**agency**	ˈeidʒənsi
banca	**bank**	ˈbæŋk
cassa	**cashier**	kəʃiə
modulo	**form**	ˈfɔːm
sportello	**counter**	ˈkauntə
valuta	**foreign currency**	ˈfɒrən ˈkʌrənsi

3.3 DENARO, POSTA, TELEFONO

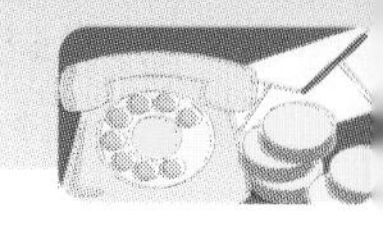

Dov'è la banca più vicina?
Where is the nearest bank?

Dov'è un ufficio di cambio/un cambio automatico?
Where is an exchange office/automatic banking machine?

Qual è l'orario delle banche?
What are banking hours?

Qual è il cambio di oggi?
What is the exchange rate today?

Quanto è la commissione?
How much is the commission?

Vorrei cambiare ... lire italiane in ... .
I would like to change ... italian lire into ... .

Vorrei incassare questo travellers' cheque/Eurocheque.
I would like to cash this travellers cheque/ Eurocheque.

Vorrei fare un prelievo di ... con la carta di credito.
I would like to make a cash withdrawal on my credit card.

Vorrei fare un versamento sul conto numero ... intestato a ... .
I would like to make a deposit to account number ... in the name of ... .

Vorrei delle banconote da ... [taglio].
I would like ... notes.

Vorrei delle monete da ... .
I would like ... coins.

Aspetto un bonifico da ...
I am waiting for a money transfer from ... .

AFFRANCARE E SPEDIRE LA POSTA

Per acquistare i francobolli consigliamo di completare l'indirizzo della vostra corrispondenza e mostrarlo all'impiegato che vi calcolerà la corretta affrancatura. In alcuni paesi è possibile acquistare i francobolli anche presso le tabaccherie, i distributori automatici, le edicole, la reception dell'albergo e i venditori di cartoline.

Dove posso comprare dei francobolli?
Where can I buy stamps?

Dov'è l'ufficio postale più vicino?
Where's the nearest post office?

Qual è l'orario degli uffici postali?
What are the post office hours?

Esiste un servizio di posta celere?
Is there a fast/express postal service?

3.3 DENARO, POSTA, TELEFONO

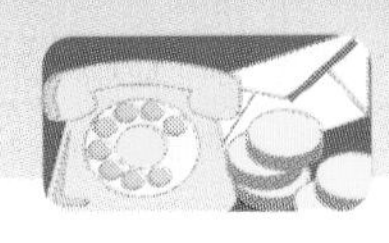

Vorrei un'affrancatura per … per l'Italia.
would like stamps for … to Italy.

… una cartolina/una lettera …
… a postcard/a letter …
… via aerea /un espresso …
… an airmail letter/an express letter …

The address is incomplete; … is missing.
L'indirizzo non è completo, manca …
… the sender …
… il mittente.
… the postal code …
… il codice di avviamento postale.
It is overweight by … grams.
C'è un sovrappeso di … grammi.

Dov'è la cassetta delle lettere?
Where is the posting box?

Vorrei spedire …
I want to send …

… un'assicurata/una raccomandata.
… an insured letter/a registered letter.
… un pacco/un pacco raccomandato.
… a packet/an insured packet.
… un telegramma/un fax/un vaglia.
… a telegram/a fax/a money order.

You must complete this form.
Deve compilare questo modulo.

Quanto tempo impiegherà per arrivare?
How long will it take?

You must complete the customs form.
Deve compilare la dichiarazione doganale.

Dov'è il fermo posta?
Where is the poste restante?

C'è posta per il sig. … ?
Is there any post for Mr … ?

USARE I TELEFONI PUBBLICI

Per la ricerca e il funzionamento di un apparecchio pubblico, informazioni su tariffe e elenchi telefonici. Lessico e frasario servono anche per comunicare col centralino dell'albergo (sit. 3.1)

centralino	**operator**	ˈɒpəreitə
scatto	**unit**	ˈjunit
tariffa	**tariff/rate**	ˈtærif / ˈreit
festiva	**weekend rate**	ˈwi:kend

intera	**full rate**	'ful'reit
notturna	**nightime rate/ reduced rate**	'naitaim'reit / ridjú:st'reit
telefonata	**call**	'kɔ:l
a carico del destinatario	**reverse charges/ collect call**	rivɜ́:s'tʃa:dʒiz / kəlékt'kɔ:l
intercontinent.	**intercontinental c.**	ˌintəkɒ́ntinentəl'kɔ:l
internazionale	**international call**	ˌintənǽʃənəl'kɔ:l
intercomunale	**long-distance call**	'lɒŋ-distəns'kɔ:l
urbana	**local call**	'ləukəl'kɔ:l

Dov'è un telefono pubblico?
Where is a public telephone?

Come si usa questo telefono?
How does one use this telephone?

> ***You must use a … coin.***
> *Deve usare monete da … .*
>
> ***You have to use a phonecard/credit card***
> *Deve usare la scheda telefonica/carta di credito.*

Dove posso acquistare una carta/scheda telefonica?
Where can I get a phone-card?

È possibile chiamare l'Italia da questo telefono?
Can I call Italy from this phone?

Qual è il prefisso per l'Italia?
What is the dialling code for Italy?

Quanto costa una telefonata di tre minuti in Italia?
How much does a three minute call to Italy cost?

Ci sono fasce orarie a tariffa ridotta?
Are there hours when the rate is reduced?

Qual è il prefisso di … ?
What is the prefix for … ?

Che numero ha questo apparecchio?
What is the number here?

Posso ricevere telefonate da questo apparecchio?
Can I receive calls on this phone?

Ha l'elenco del telefono/pagine gialle di … ?
Do you have a telephone directory/the yellow pages for … ?

Per effettuare una telefonata diretta o a carico del destinatario?
To make a direct call or a reverse charges call?

Vorrei chiamare il numero … .
I would like to call the number …

Vorrei chiamare il numero … a carico del destinatario, da parte del sig … .

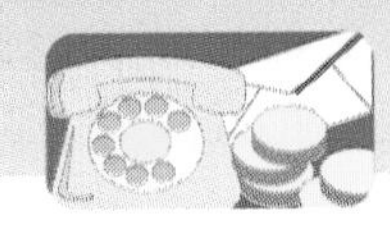

I would like to make a reverse charges call to Mr … from … .

You can dial direct from this telephone.
Può telefonare direttamente da questo apparecchio.

You can speak now; I'm putting your call through.
Può rispondere, le passo la comunicazione.

The line is busy.
La linea è sovraccarica.

The number is engaged.
Il numero è occupato.

There is no reply.
Non risponde.

Please hold on.
Attenda in linea.

Non riesco a prendere la linea.
I'm afraid I cannot get a line.

Pronto, vorrei parlare con il sig … .
Hello, may I speak to Mr … ?

I will put you through.
Le passo l'interno.

There is no reply from that extension.
L'interno non risponde.

Può dirgli di richiamare il sig. … al numero … ?
Can you ask him to call Mr … on … ?

Il telefono è guasto.
The telephone is out of order.

È caduta la linea.
We were cut off.

INVIARE UN FAX DA UN SERVIZIO PUBBLICO

Da dove posso spedire un fax?
Where can I send a fax from?

Vorrei inviare questo fax al numero … .
I would like to send this fax to the number … .

The text is illegible.
Il testo è illeggibile.

The fax won't go through.
Il fax non passa.

Che numero ha questo fax?
What is the fax number here?

Ci sono fax per il sig … ?
Is there a fax for Mr … ?

3.4 IGIENE ED ESTETICA

IGIENE, PULIZIA, CURA DELLA PERSONA

dentifricio	**toothpaste**	ˈtuːθpeist
igiene	**hygiene**	ˈhaidʒiːn
lavandino	**basin**	ˈbeisən
rubinetto	**tap**	ˈtæp
salvietta	**hand towel**	ˈhændtauəl
sapone	**soap**	ˈsəup
sciacquone	**flush**	ˈflʌʃ
spazzolino da denti	**toothbrush**	ˈtuːθbrʌʃ
spazzolino da unghie	**nailbrush**	ˈneibrʌʃ
spugna	**sponge**	ˈspʌndʒ

Dov'è il bagno?
Where is the bathroom?
Dov'è la toilette?
Where is the toilet?

The toilet is engaged/occupied.
La toilette è occupata.

Mi può dare …
Can you give me … please?
… del sapone/l'asciugamano?
… some soap/a towel …
… la carta igienica/la chiave del bagno?
… some toilet paper/the bathroom key …

Il bagno è sporco.
The bath is dirty.

IGIENE E ALIMENTAZIONE DEL NEONATO

bavaglino	**bib**	ˈbib
biberon	**bottle**	ˈbɒtəl
omogeneizzato	**homogenized**	həmɒ́dʒinaizd
pannolino-mutandina	**nappy**	ˈnæpi
succhiotto	**dummy**	ˈdʌmi
talco	**talcum powder**	ˈtælkəmˈpaudə

COSMETICI ED ESTETISTA

acetone	**nail-polish remover**	ˈneil-pɒliʃ rimúvə
acqua di colonia	**cologne**	kələún
burro di cacao	**cocoa butter**	ˈkəukəuˈbʌtə
callifugo	**corn plaster**	ˈkɔːnplæstə

3.4 IGIENE ED ESTETICA

ceretta a caldo	**hot wax depilation**	ˈhɒtˈwɒks depilėiʃn
a freddo	**wax depilation**	ˈwɒks depilėiʃn
cipria	**face powder**	ˈfeispaudə
cotone idrofilo	**cotton wool**	ˈkɒtənwu:l
crema	**cream**	ˈkri:m
anti acne	**acne cream**	ˈækniˈkri:m
da giorno	**day cream**	ˈdeiˈkri:m
da notte	**night cream**	ˈnaitˈkri:m
depilatoria	**depilatory cream**	dipílətəriˈkri:m
idratante	**moisturiser**	ˈmɔistʃə
per pelle secca/ grassa/ normale	**cream for dry/ oily skin/ normal skin**	fɔ:ˈdrai / ˈɔiliˈskin / fɔ:ˈnɔ:məlˈskin
per viso	**face cream**	ˈfeisˈkri:m
per mani	**hand cream**	ˈhændˈkri:m
solare	**sun cream**	ˈsʌnˈkri:m
deodorante	**deodorant**	di:əúdərənt
fondotinta	**foundation**	faundéiʃn
lampada abbronzante	**sun lamp**	ˈsʌnlæmp
latte detergente	**make-up remover**	ˈmeik-ʌp rimúvə
lima per unghie	**nail file**	ˈneilˈfail
lozione	**cream/lotion**	ˈkri:m /ˈləuʃən
massaggio	**massage**	ˈmæsa:ʒ
matita per occhi	**eyebrow pencil**	ˈaibrauˈpensəl
olio solare	**sun oil**	ˈsʌnɔil
ombretto	**eye-shadow**	ˈai-ʃædəu
pennello	**make-up brush**	ˈmeik-ʌpˈbrʌʃ
pinzette	**tweezers**	ˈtwi:zəz
piumino per cipria	**powder puff**	ˈpaudəpʌf
sali da bagno	**bathsalts**	ˈbæθsɔ:lts
solvente	**nail varnish remover**	ˈneilˈva:niʃ rimúvə
spazzola	**brush**	ˈbrʌʃ
specchietto	**mirror/make-up mirror**	ˈmirə /ˈmeik-ʌp ˈmirə
tamponi da strucco	**make-up removal pads**	ˈmeik-ʌp rimúvəlˈ pædz
tonico	**skin tonic**	ˈskinˈtɒnik

Dove si trova una profumeria/il reparto cosmetici?
Where can I find a chemist/the cosmetics department?

Dove si trova un salone di bellezza/una sauna?
Where can I find a beauty salon/a sauna?

Dove si trova un idromassaggio/un bagno turco?
Where can I find a hydromassage/a steam bath?

3.4 IGIENE ED ESTETICA

Vorrei fissare un appuntamento per le ore … per fare …
I'd like to make an appointment for … to have … .
… la manicure/la pedicure/la pulizia del viso.
… a manicure/a pedicure/a facial.
… un trucco/una depilazione.
… a make-up session/a depilation.

Posso provare questo rossetto/smalto/profumo?
May I try this lipstick/nail varnish/perfume?

Posso vedere i colori degli smalti/rossetti?
Can I see what nail varnish/lipstick colours you have?

Vorrei un colore più chiaro/scuro.
I want a lighter/darker colour.

Mi metta un trucco leggero.
Could you put a light make-up on for me?

Vorrei un rossetto di questo colore.
I would like a lipstick of this colour.

Mi fa male questo callo.
This corn is hurting me.

Questa ceretta è troppo calda.
The wax is too hot.

C'è molto da attendere?
Will I have to wait long?

DAL PARRUCCHIERE E DAL BARBIERE

baffi	**moustache**	məstáːʃ
balsamo	**balsam/balm**	ˈbɒlsəm / ˈbaːm
barba	**beard**	ˈbiəd
basette	**sideburns**	ˈsaidbɜːnz
bigodini	**curlers**	ˈkɜːləz
capelli	**hair**	ˈheə
grassi	**greasy hair**	ˈgriːziˈheə
normali	**normal hair**	ˈnɔːməlˈheə
secchi	**dry hair**	ˈdraiˈheə
lisci	**straight hair**	ˈstreitˈheə
mossi	**wavy hair**	ˈweiviˈheə
ricci	**curly hair**	ˈkɜːliˈheə
crema da barba	**shaving cream**	ˈʃeiviŋˈkriːm
decolorazione	**bleach**	ˈbliːtʃ
dopobarba	**aftershave**	ˌaːftəʃéiv
emostatico	**styptic**	ˈstiptik
forbici	**scissors**	ˈsizəz
forfora	**dandruff**	ˈdændrʌf
frangia	**fringe**	ˈfrindʒ
frizione	**friction**	ˈfrikʃn

3.4 IGIENE ED ESTETICA

lametta	**razor blade**	ˈreizəbleid
ossigenato	**peroxided**	pərɒksaidid
parrucca	**wig**	ˈwig
pelo	**hair**	ˈheə
pennello da barba	**shaving brush**	ˈʃeiviŋˈbrʌʃ
pettinatura	**hairstyle**	ˈheəstail
pettine	**comb**	ˈkɒm
rasatura	**shave**	ˈʃeiv
rasoio	**razor**	ˈreizə
di sicurezza	**safety razor**	ˈseiftiˌreizə
elettrico	**electric razor**	ˈilektrikˈreizə
sapone da barba	**shaving soap**	ˈʃeiviŋˈsəup
schiuma da barba	**shaving foam**	ˈʃeiviŋˈfɔːm

Può indicarmi un parrucchiere da donna/uomo?
Can you tell me where is a hairdresser for women/men?

Vorrei fissare un appuntamento per … .
I would like to make an appointment for …

A che ora posso ritornare?
At what time can I come back?

Vorrei radermi/fare barba e capelli.
I would like a shave/a haircut and shave.

Vorrei fare la messa in piega/la permanente.
I would like a set/a perm.

Vorrei lavare e tagliare/tingere i capelli.
I would like a wash and cut/a colour rinse.

Vorrei spuntare la barba/ i capelli.
I would like my beard/hair trimmed.

Would you like a hair lotion?
Desidera una lozione?

Vorrei i capelli …
I would like my hair …

… con la sfumatura alta/bassa.
… tapered upwards/downwards.
… non troppo corti/scalati.
… not too short/layered.
… un po' più corti/lunghi …
… a little shorter/longer …
… davanti/dietro/sui lati/in alto.
… in front/at the back/on the sides/on top.

Mi faccia uno shampoo antiforfora/normale.
Please will you give me a(n) anti-dandruff/normal shampoo?

Mi faccia uno shampoo per capelli grassi/per capelli secchi.
Please use a shampoo for greasy hair/dry hair.

3.5 CULTO

LUOGHI E PRATICHE DI CULTO

Si veda anche Area 5.2, pagina 151.

culto **worship** ˈwɜːʃip

Dov'è ...
Where is ...
... una chiesa cattolica/protestante?
... **a Catholic church/a Protestant church?**
... una sinagoga/una moschea?
... **a synagogue/a mosque?**

Qual è l'orario delle funzioni?
At what times are the services?

Vorrei parlare con un sacerdote/con un pastore.
I would like to speak to a priest.

C'è un sacerdote che parli italiano?
Is there a priest who speaks Italian?

Vorrei comunicarmi.
I would like to take communion.

Vorrei confessarmi.
I would like to take confession.

Qual è il santo patrono della citta?
Who is the patron saint of the city?

AREA 4. RISOLVERE

4.1 EMERGENZE

4.2 FURTI, DANNI, MOLESTIE

4.3 ORIENTAMENTO

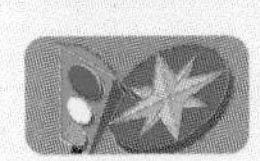

4.4 SALUTE E CURE

Quest'Area – ci auguriamo – è destinata a essere la meno consultata di tutto il prontuario, ma non per questo è stata curata meno delle altre. Anzi, è stata organizzata con particolare attenzione e minuziosamente dettagliata proprio per essere massimamente utile e facilmente consultabile in situazioni in cui, prevedibilmente, il tempo a disposizione per sapere cosa dire e come dirlo è poco, e lo stato d'animo dell'utente potrebbe non essere particolarmente incline alla ricerca dell'espressione più adeguata. Naturalmente, anche in questo caso al frasario di quest'area sono complementari il lessico e le frasi di altre aree (in specie per quanto riguarda i *guasti meccanici* e lo *smarrimento di oggetti*): i rimandi sono effettuati di volta in volta mediante opportune segnalazioni nel corpo del frasario. Nella Situazione 4.4, il lessico della sezione dedicata alla Farmacia contiene ovviamente, per ragioni di pertinenza, anche i nomi di prodotti o preparazioni di carattere principalmente igienico e non strettamente terapeutico, come il collutorio o il collirio.

4.1 EMERGENZE

CALAMITÀ E PERICOLI

Per chiedere (anche per telefono) o dare aiuto in caso di malori, incidenti (compresi quelli automobilistici, cui è dedicato un punto a parte per gli aspetti civili e penali) o situazioni di pericolo. Per integrare il lessico relativo a traumi e danni alla persona, si veda anche susseguentemente la voce Salute.

allarme	**alarm**	əlá:m
annegamento	**drowning**	ˈdrauniŋ
avvelenamento	**poisoning**	ˈpɔizəniŋ
cadavere	**corpse**	ˈkɔ:ps
caduta	**fall**	ˈfɔ:l
congelamento	**frostbite**	ˈfrɒstbait
esplosione	**explosion**	ikspləù̀ʒn
estintore	**extinguisher**	iksťiŋgwiʃə
ferita	**injury**	ˈindʒəri
ferito	**casualty**	ˈkæʒuəlti
grave	**severe casualty**	siv́iəˈkæʒuəlti
leggero	**slight casualty**	ˈslaitˈkæʒuəlti
folgorazione	**electrical discharge**	ˈilektrikəl distʃá:dʒ
frattura	**fracture**	ˈfræktʃə
fuga di gas	**gas leak**	ˈgæsli:k
incidente	**accident**	ˈæksidənt
infarto	**heart attack**	ˈha:t ətǽk
investimento	**collision**	kəĺiʒn
pronto soccorso	**first aid**	ˈfɜ:stˈeid
puntura	**sting (insetto)**	ˈstiŋ
schiacciamento	**crushing**	ˈkrʌʃiŋ
shock	**shock**	ˈʃɒk
soffocamento	**suffocation**	ˌsʌfəkéiʃn
trauma	**trauma**	ˈtrɔ:mə
urto	**crash**	ˈkræʃ
ustione	**burn**	ˈbɜ:n
Aiuto!	**Help!**	ˈhelp
Al fuoco!	**Fire!**	ˈfaiə
È urgente!	**It's urgent!**	itsˈɜ:dʒənt
Attenzione!	**Watch out!**	ˈwɔtʃ aut

Mi può aiutare?
Could you help me, please?
C'è un telefono?
Is there a telephone here?
Qual è il numero dell'ambulanza/della polizia/dei pompieri?

4.1 EMERGENZE

What is the ambulance/the police/the fire brigade telephone number?

C'è qualcuno che parla italiano/inglese?
Is there anybody here who speaks Italian/English?

Ho bisogno di un interprete.
I need an interpreter.

Ho avuto un incidente.
I have just had an accident.

Ho assistito a un incidente.
I have just seen an accident.

Si è verificato un allagamento.
There has been a flood.

Si è verificato un corto circuito/un incendio.
There has been a short circuit/a fire.

Si è verificato un crollo/uno scoppio.
There has been a cave-in/an explosion.

> ***Can you give me the address/the whereabouts?***
> *Può darmi l'indirizzo/le coordinate?*

Ci sono feriti gravi.
There are severe casualties.

Non muovetelo!
Don't move him/it!

Non respira.
He/She isn't breathing.

Sono stato investito.
I have been run over.

Il mio/suo gruppo sanguigno è … .
My/His/Her blood group is … .

Portatemi al pronto soccorso.
Take me to the casualty ward.

Chiamate un'ambulanza/un medico
Please call an ambulance/a doctor.

Chiamate la polizia/i pompieri.
Please call the police/the fire brigade.

Per favore mi dia il suo nome e il suo indirizzo.
Would you give me your name and address, please?

CARTELLI E AVVISI DI PERICOLO

> ***Emergency exit.***
> *Uscita d'emergenza.*

> ***Fire hydrant.***
> *Bocca antincendio.*

4.1 EMERGENZE

Break glass in emergency.
In caso di emergenza rompere il vetro.

In the event of fire, do not use the lift.
Non usare l'ascensore in caso di incendio.

Danger. High tension.
Pericolo. Alta tensione.

GUASTI E RIPARAZIONI AI VEICOLI

Tutto quanto riguarda i rifornimenti, i controlli dei livelli e le piccole riparazioni che si possono effettuare anche da soli o in area di servizio, si trova all'Area 2.2. Il lessico e il frasario di questo punto si riferiscono anche a veicoli a 2 ruote.

autoofficina	**repair garage**	ripéə'gæra:dʒ
carburatorista	**carburettor specialist**	ˌka:bjuré tə 'speʃəlist
carro attrezzi	**breakdown lorry**	'breikdaun'lɔ:ri
carrozziere	**coach builder**	'kəutʃˌbildə
cavo/gancio di traino	**towing cable /hitch**	'təuiŋ'keibəl /'hitʃ
elettrauto	**car electrician**	'ka:ˌilektr'iʃn
meccanico	**mechanic**	mikǽnik
pezzo di ricambio	**spare part**	'speə'pa:t
riparazione	**repair**	ripéə

PARTI DELLA CARROZZERIA E TELAIO

avantreno	**fore carriage**	'fɔ:ˌkæridʒ
bagagliaio	**boot**	'bu:t
cavalletto	**stand**	'stænd
cofano	**bonnet**	'bɒnit
deflettore	**vent window**	'vent'windəu
fari	**head lamps**	'hedlæmps
fendinebbia	**fog-guard lamp**	'fɒg-ga:d'læmp
finestrino	**side window**	'said'windəu
indicatori di direzione	**indicator lights/ blinkers**	'indikeitə'laits / 'bliŋkəz
luce della targa	**registration plate light**	ˌredʒistré iʃn'pleit 'lait
di posizione	**side light**	'said'laits
di retromarcia	**reverse light**	rivɜ́:s'laits
lunotto	**rear window**	'reə'windəu
maniglia	**handle**	'hændəl
manopola	**knob**	'nɒb
manubrio	**handle bar**	'hændəlba:

4.1 EMERGENZE

mascherina	**grille**	ˈgril
parabrezza	**windscreen**	ˈwindskriːn
parafango	**wing/mudguard**	ˈwiŋ / mʌdgaːd
paraurti	**bumper**	ˈbʌmpə
pianale	**platform**	ˈplætfɔːm
retrotreno	**rear axle**	ˈreəˈæksəl
scocca	**chassis**	ˈtʃæsi
sellino	**saddle**	ˈsædəl
serratura	**lock**	ˈlɒk
spazzole del tergicristalli	**windscreen-wipers**	ˈwindskriːn ˈwaipəz
specchietto retrovisore	**rear view mirror**	ˈreəˈvjuː ˈmirə
sportello	**door**	ˈdɔː
stop	**stop light**	ˈstɒpˈlait
tetto	**roof**	ˈruːf

MECCANICA E IMPIANTO ELETTRICO

accensione	**starter**	ˈstaːtə
albero a camme	**camshaft**	ˈkæmʃaːft
albero di trasmissione	**transmission shaft**	trænzmiʃn ˈʃaːft
alimentazione	**power**	ˈpauə
alternatore	**dynamo**	ˈdainəməu
ammortizzatore	**shock absorber**	ˈʃɒk əbsɔ́ːbə
batteria	**battery**	ˈbætəri
biella	**connecting rod**	kənnéktiŋˈrɒo
bronzina	**bushing**	ˈbuʃiŋ
cambio	**gear-box**	ˈgiəbɒks
candela	**spark plug**	ˈspaːkˈplʌg
carburatore	**carburettor**	ˌkaːbjurétə
catena	**chain**	ˈtʃein
cerchione	**rim**	ˈrim
cilindro	**cylinder**	ˈsilində
cinghia	**belt**	ˈbelt
circuito idraulico dei freni	**hydraulic brake circuit**	haidrɔ́ːlikˈbreik ˈsɜːkit
circuito elettrico	**electric circuit**	ˈilektrikˈsɜːkit
collettore	**manifold**	ˈmænifəuld
collo d'oca	**goose-neck**	ˈguːz-nek
cavetto	**cable**	ˈkeibəl
differenziale	**differential**	ˌdifərénʃəl
fasce elastiche	**rings**	ˈriŋz
freni	**brakes**	ˈbreiks
frizione	**clutch**	ˈklʌtʃ
guarnizione della testata	**head gasket**	ˈhedˈgæskit

iniettore	**injector**	indʒéktə
iniezione	**injection**	indʒékʃn
lubrificazione	**lubrication**	ˌlu:brikéiʃn
manicotto	**coupling**	ˈkʌpliŋ
marcia	**gear**	ˈgiə
marmitta	**silencer**	ˈsailənsə
molla	**spring**	ˈspriŋ
motore	**engine**	ˈendʒin
motorino	**starting**	ˈsta:tiŋ
d'avviamento	**motor**	ˈməutə
pistone	**piston**	ˈpistən
pneumatico	**tyre**	ˈtaiə
pompa dell'acqua	**water pump**	ˈwɔ:təˈpʌmp
del carburante	**fuel pump**	ˈfju:əlˈpʌmp
dell'olio	**oil pump**	ˈɔilˈpʌmp
puntine dello	**distributor**	ˌdistribjú:tə
spinterogeno	**points**	ˈpɔints
radiatore	**radiator**	ˈreidieitə
raffreddamento	**cooling**	ˈku:liŋ
ad acqua	**water cooling**	ˈwɔ:təˈku:liŋ
ad aria	**air cooling**	ˈeəˈku:liŋ
raggi	**spokes**	ˈspəuks
retromarcia	**reverse gear**	rivɜ́:sˈgiə
ruota	**wheel**	ˈhwi:l
semiasse	**axle shaft**	ˈæksəlˈʃa:ft
serbatoio	**tank**	ˈtæŋk
servofreno	**power brake**	ˈpauəˈbreik
servosterzo	**power steering**	ˈpauəˈstiəriŋ
sospensioni	**suspension**	səspénʃn
spinterogeno	**battery ignition**	ˈbætəri igníʃn
sterzo	**steering**	ˈstiəriŋ
tappo	**plug**	ˈplʌg
termostato	**thermostat**	ˈθɜ:məstæt
testata	**head**	ˈhed
valvola	**valve**	ˈvælv
di aspirazione	**suction valve**	ˈsʌkʃnˈvælv
di scarico	**exhaust valve**	igzɔ́:stˈvælv
vaschetta	**reservoir**	ˈrezəvwa:
del liquido	**cooling liquid**	ˈku:liŋˈlikwid
refrigerante	**reservoir**	ˈrezəvwa:
dell'olio freni	**brake fluid r.**	ˈbreikˈlikwid r.
del tergivetro	**windscreen**	ˈwindskri:nˈwɔ:ʃə
	washer spray r.	ˈspreiˈrezəvwa:
ventola	**fan**	ˈfæn
volano	**fly wheel**	ˈflaiˈhwi:l

4.1 EMERGENZE

ABITACOLO E COMANDI

acceleratore	**accelerator**	əksélərẹitə
antifurto	**burglar alarm**	ˈbɜːglə əlá:m
autoradio	**car radio**	ˈka:ˈrædiəu
chiave di accensione	**ignition key**	igˈniʃnˈki:
cintura di sicurezza	**seatbelt**	ˈsi:tbelt
contachilometri	**odometer**	əudɒmitə
contagiri	**rev counter**	ˈrevkauntə
cruscotto	**dashboard**	ˈdæʃbɔ:d
interruttore fari	**switch for**	ˈswitʃ fɔ:
di posizione	**side lamps**	ˈsaidˈlæmps
abbaglianti	**s. f. high-beam head lamps**	ˈhaibi:m ˈhedlæmps
anabbaglianti	**s. f. dimmer head lamps**	ˈdimə ˈhedlæmps
freno a mano	**hand brake**	ˈhændˈbreik
lampeggiatore	**hazard flasher**	ˈhæzədˈflæʃə
lavavetro	**windscreen washer**	ˈwindskri:nˈwɔ:ʃə
leva del cambio	**gear lever**	ˈgiəˈlevə
pedale del freno	**brake pedal**	ˈbreikˈpedəl
– della frizione	**clutch pedal**	ˈklʌtʃˈpedəl
pedale della messa in moto	**pedal crank**	ˈpedəlˈkræŋk
quadro	**panel**	ˈpænəl
spia	**warning light**	ˈwɔ:niŋˈlait
– liv. carburante	**fuel gauge**	ˈfjuəlˈgeidʒ
– temperatura acqua	**water temperature gauge**	ˈwɔ:təˈtemprətʃəˈ geidʒ
– pressione olio	**oil pressure gauge**	ˈɔilˈpreʃəˈgeidʒ
tachimetro	**speedometer**	spi:dɒmitə
volante	**steering wheel**	ˈstiəriŋˈhwi:l

Dove si trova un'autofficina/una carrozeria?
Where can I find a repair garage/a coach builder?

Dove si trova un elettrauto/un gommaio?
Where can I find a car electrician/a tyre repairer?

Qual è il numero del soccorso stradale?
What is the road assistance number, please?

Ho bisogno di un carro-attrezzi.
I need a breakdown lorry.

La macchina si trova al Km … dell'autostrada … .
The car is at Mile/Kilometre … on the … motor way.

La mia macchina non parte.
My car won't start.

4.1 EMERGENZE

Sono rimasto senza benzina.
I have run out of fuel.

Esce fumo dal motore.
Smoke is coming out of the engine.

Il motore batte in testa/ha dei ritorni di fiamma.
The engine is pinking/is back-firing.

Il motore scoppietta/va a singhiozzo.
The engine is chugging/proceeds in stops and starts.

Il motore surriscalda/fa uno strano rumore.
The engine gets overheated/is making a strange noise.

Non funzionano i freni.
The brakes are not working.

Il serbatoio/radiatore perde.
The tank/radiator is leaking.

Si accende la spia dell'acqua/dell'olio.
The water/oil gauge warning light keeps coming on.

Ho una gomma a terra.
I have a flat tyre.

Non si apre il bagagliaio/cofano/finestrino/lo sportello.
The boot/bonnet/window/door won't open.

Gli abbaglianti/gli anabbaglianti …
The main beam/dimmer head lamps …
Gli stop/ le frecce …
The stop/indicator lights …
I tergicristalli/i fendinebbia …
The windscreen wipers/The fog guard lamps …
… non funzionano.
… **don't work.**

La frizione è dura/slitta.
The clutch is stiff/slips.

DIAGNOSI DEL MECCANICO

***The tappet/stroke/idling speed** …*
Le punterie/la fase/il minimo …
***The clutch clearance** …*
Il gioco della frizione …
***The belt tension** …*
La tensione delle cinghie …
*… **needs adjusting.***
… è da regolare.

Come back in a quarter of/half an hour.
Torni fra un quarto d'ora/mezz'ora.

The hand-brake cable/The brake shoe ...
Il cavo del freno a mano/le ganasce dei freni ...
The gear oil ...
L'olio del cambio ...
The steering box ...
La scatola dello sterzo. ...
... needs changing.
... è da cambiare.

The clutch/gear case will have to be disassembled.
Bisogna smontare la frizione/la scatola del cambio.

I'll have to replace ...
Debbo sostituire ...
... the battery/the spark plugs/the points.
... la batteria/le candele/le puntine.
... the braking gaskets.
... le guarnizioni dei freni.

The carburettor needs cleaning.
Debbo pulire il carburatore.

The clutch disc/The starting motor ...
Il disco della frizione/il motorino d'avviamento ...
The water pump/petrol pump ...
La pompa dell'acqua/della benzina ...
A bearing/A piston ...
Un cuscinetto/un pistone ...
... has got stuck.
... si è bloccato/a .

The alternator/head gasket ...
L'alternatore/guarnizione della testata ...
A fuse/A valve ...
Un fusibile/una valvola ...
... has burnt out.
... si è bruciato/a .

The thermostat ...
Il termostato ...
The battery ignition plug ...
La calotta dello spinterogeno ...
The fan belt ...
La cinghia del ventilatore ...
The accelerator/clutch cable ...
La corda dell'acceleratore/della frizione ...
... has broken.
... si è rotto/a .

The cylinder block ...
Il monoblocco ...
The oil sump/A coupling ...
La coppa dell'olio/un giunto ...

... has split.
... si è spaccato/a.

The steering column/chassis ...
Il piantone dello sterzo/il telaio ...
The transmission shaft/The head ...
L'albero di trasmissione/la testata. ...
... is bent.
... si è storto/a.

The rings are worn.
Le fasce elastiche sono usurate.

Mi può fare un preventivo della spesa?
Could you give me an estimate of the cost, please?

Avete ricambi originali?
Do you keep original spare parts?

We don't have the relevant spare part.
Non abbiamo il pezzo di ricambio.

Può fare questa riparazione?
Could you make this repair, please?

Può indicarmi qualcuno che la possa fare?
Can you tell me who could do it?

Può aggiustarla per farmi arrivare fino a ... ?
Could you fix it so that I can at least get to ... ?

No, I'm afraid your car isn't serviceable.
No, la sua auto non può marciare.

Quanto tempo ci vuole per ripararla?
How long will it take to repair?

Posso avere una fattura dettagliata?
Can I have a detailed invoice, please?

INCIDENTI STRADALI

In caso di incidenti stradali con feriti, per chiamare un'ambulanza o un medico, vedi Calamità e pericoli (precedente) e Salute. Per il frasario relativo alle infrazioni al codice della strada, si veda anche l'area 2.2 (Circolazione e traffico).

eccesso di velocità	**overspeeding**	ˌəuvəspiːdiŋ
linea	**line**	ˈlain
continua	**continuous line**	kəntˈinjuəsˈlain
tratteggiata	**broken line**	ˈbrəukənˈlain
precedenza	**priority**	praiɒriti
scontro	**crash**	ˈkræʃ
frontale	**head-on crash**	ˈhed-ɒnˈkræʃ

4.1 EMERGENZE

laterale	**sideways-on c.**	ˈsaidweiz-ɒnˈkræʃ
sorpasso	**overtaking**	ˈəuvəteˌikiŋ
tamponamento	**collision**	kəlīʒn

Sta/state bene?
Are you all right?

Dobbiamo mettere il triangolo.
We must put out the red warning triangle.

Vado/a a chiamare la polizia.
I'll go and get the police.

Pronto, polizia. C'è stato un incidente …
Hallo, the police, please. There has been an accident …

… in via/piazza … angolo via. … .
… in … Street/Square, on the corner with … Street.
… sulla strada da … a … al km … .
… on the road from … to … at mile number … .
… sull'autostrada n. … al km … .
… on Motor way number … at mile number … .

Do not move the cars until we get there.
Non spostate le macchine fino al nostro arrivo.

Are there any casualties?
Ci sono feriti?

Sì, c'è un ferito leggero/grave.
Yes, there is one slight/severe casualty.

Sì, ci sono dei feriti.
Yes, there are casualties.

No, nessun ferito.
No, there is no casualty.

Qualcuno ha veduto come si è svolto l'incidente?
Did anyone see how the accident happened?

Lei è disponibile a testimoniare?
Are you willing to testify?

Posso avere il suo nome e il suo indirizzo?
May I have your name and address, please?

La responsabilità è sua.
It's your/his/her fault.

Procedevo regolarmente per la mia strada.
I was proceeding in a normal way.

Aveva i fari spenti.
His/Her/Its lights were off.

È passato con il rosso.
He/She/It crossed on a red light.

È uscito dal parcheggio senza guardare.
He came out of the parking lot without looking.

Sorpassando ha invaso la mia carreggiata.
He encroached upon my lane when overtaking.
Ha svoltato senza mettere la freccia.
He turned left/right without giving any warning.
Non ha rispettato la distanza di sicurezza.
He was not keeping a safe distance.
Non mi ha dato la precedenza.
He did not give me priority.
Sono spiacente, la responsabilità è mia.
I am sorry. It was my fault.
Le scrivo i miei dati e i dati dell'assicurazione.
I'll write down my particulars and those of my insurance.
Posso vedere la sua patente/assicurazione?
May I see your driving licence/insurance, please?
Qual è il suo numero di targa?
What is your registration plate number?
Lei stava guidando in stato di ubriachezza.
You were driving under the effects of alcohol.
Stavo andando piano.
I was proceeding slowly.
Ho dei testimoni.
I have witnesses.

IN CASO DI SMARRIMENTO DI PERSONE

Per lo smarrimento o furto di documenti, biglietti, carta di credito, traveller's cheques, borse, valigie ecc. vedere Furti Area 4.2 e Aeroporto Area 2.1.

Il mio nome è … .
My name is … .
Ho perduto … , può fare un annuncio con l'altoparlante?
I have lost … . Could you make an announcement over the Tannoy, please? .
… mio figlio/mio marito/la mia famiglia …
… my son/my husband/my family …
… il mio gruppo/la mia guida …
… my group/my guide …
Mio figlio si è perso. È un bambino di … anni, è vestito con … .
My son has got lost. He is a child of … years, dressed in … .
Mi può chiamare il Sig. … con l'altoparlante?
Could you call Mr. … over the Tannoy, please?

4.2 FURTI, DANNI, MOLESTIE

FURTI E SCIPPI

In previsione di eventuali furti o smarrimenti, vi consigliamo di portare con voi i numeri dei documenti in fotocopia o trascritti su un foglietto, mentre per il furto o smarrimento di borse o valigie vi consigliamo di prepararvi la descrizione delle stesse e del contenuto. In caso di difficoltà vi consigliamo l'assistenza di un interprete.

Aiuto! Al ladro!
Help! Stop thief!

Chiamate la polizia!
Call the police!

Dov'è il consolato italiano?
Where is the Italian consulate, please?

Dov'è l'ufficio oggetti smarriti?
Where is the lost property office, please?

Dov'è la stazione di polizia?
Where is the police station, please?

Ho bisogno di un interprete/avvocato.
I need an interpreter/lawyer.

Voglio denunciare il furto/lo smarrimento …
I'd like to report the theft/loss …

… dei documenti/del passaporto.
… **of (my) papers/(my) passport.**

… dei traveller's cheques/ della/e carta/e di credito.
… **of (my) traveller's cheques/(my) credit card/s.**

… del biglietto aereo.
… **of (my) plane ticket.**

… del mio bagaglio
… **of my luggage.**

… del portafoglio/della borsa.
… **of (my) wallet/(my) bag.**

Sono stato scippato.
I have been mugged.

Did you have any money/jewels/valuables on you?
Aveva denaro/preziosi/oggetti di valore?

Are there any witnesses?
Ci sono testimoni?

How many of them were there?
In quanti erano?

Where was the object when it was stolen/lost?
Dove aveva l'oggetto?

4.2 FURTI, DANNI, MOLESTIE

Lo avevo in borsa/in macchina.
I had it in my bag/in the car.

Lo avevo in mano/in tasca.
I had it in my hand/in my pocket.

Please describe the stolen/lost object.
Mi descriva l'oggetto rubato/smarrito.

Would you be able to describe/recognize the thief?
Saprebbe descrivere/riconoscere il ladro?

Mi hanno rubato la macchina, era parcheggiata in … .
My car has been stolen. It was parked in … .

Hanno rotto il finestrino dell'auto e mi hanno rubato … .
The car window was broken and my … stolen.

Where did the theft take place?
Dov'è avvenuto il furto?

Il furto è avvenuto in … .
The theft took place in … .

Do you want to make a statement?
Vuole sporgere denuncia?

DANNI ALLE COSE

In caso che subiate o provochiate danni a cose (macchiare un vestito, rompere un oggetto ecc.).

assicurazione	**insurance**	inʃùərəns
danno	**damage**	ˈdæmidʒ
indennizzo	**compensation**	ˌkɒmpensèiʃn
perdita	**loss**	ˈlɔːs
riparazione	**repair**	ripèə
risarcimento	**refund**	rifʌnd

Lei mi ha rotto … .
You have broken my … .

Lei mi ha macchiato … .
You have stained my … .

Lei mi deve risarcire.
I must insist on your compensating me.

Mi lasci il suo nome e indirizzo.
Please give me your name and address.

Le manderò la fattura a casa.
I will forward the invoice to your home address.

Lei è assicurato?
Are you insured?

Non l'ho fatto apposta.
I did not do it on purpose.

Non l'avevo vista.
I did not see you.

Dove posso far riparare. ... ?
Where can I get ... repaired?

Se vi capita di urtare e danneggiare un'auto in sosta, in assenza del proprietario, potete lasciare questo biglietto firmato:

Ho urtato la sua auto, mi chiami al numero. ... .
I have bumped into your car. Please call me at number ... .

AGGRESSIONI E MOLESTIE

In caso di difficoltà vi consigliamo l'assistenza di un interprete.

Mi lasci in pace!
Leave me alone!

Se ne vada o chiamo la polizia!
Go away, or I'll call the police!

Smetta di seguirmi o chiamo la polizia!
Stop following me, or I'll call the police!

Aiuto, c'è un uomo che mi sta seguendo!
Help! There's a man following me!

Aiuto, c'è un uomo che mi molesta!
Help! There's a man bothering me!

Vorrei denunciare un'aggressione.
I'd like to report a case of assault.

Vorrei denunciare un tentativo di violenza.
I'd like to report a case of attempted rape.

> ***Where did it happen?***
> *Dove è accaduto?*
>
> ***How many of them were there?***
> *Quanti erano?*
>
> ***Would you be able to recognize him/them?***
> *Saprebbe riconoscerlo/i?*
>
> ***Were there any witnesses?***
> *C'erano testimoni?*

4.3 ORIENTAMENTO

ORIENTARSI IN CITTÀ E NELLE LOCALITÀ VISITATE

Il lessico e il frasario servono per chiedere informazioni stradali all'interno di città, villaggi e località che si stanno visitando, sia andando a piedi che in macchina. La richiesta di informazioni su tragitti di più ampie proporzioni si trova nell'Area 2.2 (Automobile).

attraversamento	**crossing**	'krɒsiŋ
cavalcavia	**fly over**	'flai'əuvə
curva	**bend**	'bend
incrocio	**crossroads**	'krɒsrəudz
insegna luminosa	**illuminated sign**	'ilu:mimeitid 'sain
isolato	**block**	'blɒk
numero (civico)	**street number**	'stri:t'nʌmbə
passaggio pedonale	**pedestrian crossing**	pidėstriən'krɒsiŋ
rotatoria	**roundabout**	'raundəbaut
semaforo	**traffic lights**	'træfik'laits
sottopassaggio	**subway**	'sʌbwei
tunnel	**tunnel**	'tʌnəl

Dov'è via. … ?
Can you tell me where … Street is, please?

Straight on.
Sempre a diritto.

Turn right/left at the … crossroads/traffic lights.
Giri a destra/sinistra al … incrocio/semaforo.

It is … blocks away from here.
È a … isolati da qui

Keep straight on till you get to … and ask again.
Continui a diritto fino all'inizio di … , e lì domandi di nuovo.

It is at the bottom of the road.
È in fondo alla strada.

Have you got a street plan?
Ha una cartina?

Mi può indicare sulla cartina dov'è via … ?
Can you show me where … Road is on the map, please?

Debbo andare in via … . Può farmi uno schizzo del percorso?
I have to go to … Street. Could you make a sketch of the route, please?

4.3 ORIENTAMENTO

Mi può scrivere l'indirizzo?
Could you write down the address, please?

In che zona della città siamo?
Which district of the city/town are we in?

Come faccio a tornare in centro?
Can you tell me how to get back into the centre, please?

You'll have to turn back.
Deve tornare indietro.

Qual è la strada più breve per andare a … ?
What is the shortest way to … , please?

È possibile andare a piedi a … ?
Can one walk to … ?

It is a very long way. You can't go on foot.
È molto lontano, non può andare a piedi.

È possibile andare in macchina/autobus a … ?
Can one get to … by car/bus?

It is a pedestrian precinct. Cars are not permitted.
È zona pedonale, non può arrivarci in macchina.

Quanto dista via … ?
Can you tell me how far away … Street is?

È questa la direzione giusta per … ?
Am I going in the right direction for … ?

Dove posso comprare una cartina della città/dei mezzi di trasporto?
Can you tell me where I can buy a plan of the town(city)/ public transport?

4.4 SALUTE E CURE

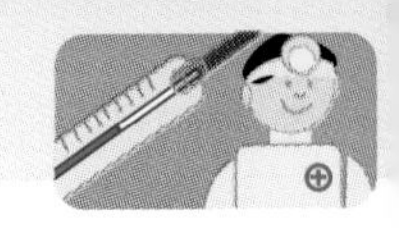

Attenzione: se si è allergici a qualche farmaco o trattamento, sarà bene impararsene il nome prima di doverne fare eventualmente uso, in modo da comunicarlo tempestivamente al medico che vi stesse curando, senza perdere tempo a cercarlo in un frangente non propriamente adatto alla consultazione del glossario.

MALATTIE E SINTOMI

acidità	**heartburn** (stomaco)	ˈha:tbɜ:n
anemia	**anaemia**	əni:miə
appendicite	**appendicitis**	əpendisáitis
artrite	**arthritis**	a:θráitis
asma	**asthma**	ˈæsmə
bronchite	**bronchitis**	brɒŋkáitis
bruciore	**smarting** (occhi)	ˈsma:tiŋ
cardiopatia	**cardiopathy**	ˈka:diəupæθi
catarro	**catarrh**	kətá:
cistite	**cystitis**	sistáitis
colica di reni	**kidney colic**	ˈkidniˈkɒlik
colica di fegato	**hepatic colic**	hipætikˈkɒlik
colite	**colitis**	kəláitis
collasso	**collapse**	kəlæps
coma	**coma**	ˈkəuma
congelamento	**frost-bite**	ˈfrɒstbait
congestione	**congestion**	kəndʒéstʃn
congiuntivite	**conjunctivitis**	kəndʒʌŋktivaitis
crampo	**cramp**	ˈkræmp
diabete	**diabetes**	daiəbí:tis
difterite	**diphtheria**	ˈdifθiəriə
dissenteria	**dysentery**	ˈdisəntəri
dolori mestruali	**period pains**	ˈpiriədˈpeinz
ematoma	**haematoma**	hi:mətəúmə
emicrania	**migraine**	ˈmi:grein
emorragia	**haemorrhage**	ˈhemərid ʒ
emorragia cerebrale	**cerebral haemorrhage**	ˈseribəl ˈheməridʒ
epatite	**hepatitis**	hepətáitis
erpes	**herpes**	ˈhɜ:pi:z
febbre	**fever/temperature**	ˈfi:və / ˈtemprətʃə
gastrite	**gastritis**	gæstráitis
gotta	**gout**	ˈgaut
ictus	**ictus**	ˈiktəs
infarto	**heart attack**	ˈha:t ətæk
infezione	**infection**	infékʃn
intossicazione	**intoxication**	intɒksikeiʃn
itterizia	**jaundice**	ˈdʒɔ:ndis

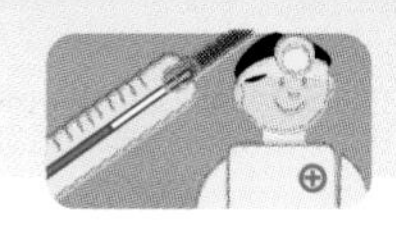

laringite	**laryngitis**	ˌlærindʒáitis
leucemia	**leukemia**	lu:kí:miə
lombaggine	**lumbago**	lʌmbéigəu
mal d'auto	**car sickness**	ˈka:ˈsiknis
mal di montagna	**mountain sickness**	ˈmauntinˈsiknis
male	**ache**	ˈeik
di denti	**tooth ache**	ˈtu:θeik
di gola	**sore throat**	ˈsɔ:ˌθrəut
d'orecchi	**ear ache**	ˈiəeik
di pancia	**tummy ache**	ˈtʌmiˌeik
di stomaco	**stomach ache**	ˈstʌməkˌeik
di testa	**headache**	ˈhedeik
malaria	**malaria**	məléəriə
malessere	**malaise**	məléiz
nefrite	**nephritis**	nifráitis
nevralgia	**neuralgia**	njuərældʒə
otite	**otitis**	ətáitis
palpitazioni	**palpitations**	ˌpælpitéiʃn
paralisi	**paralysis**	pərælisis
peritonite	**peritonitis**	ˌperitənáitis
pleurite	**pleurisy**	ˈplərisi
polmonite	**pneumonia**	nju:məúniə
pressione alta	**high blood pressure**	ˈhaiˈblʌdˈpreʃə
bassa	**low b.p.**	ˈləuˈblʌdˈpreʃə
reumatismo	**rheumatism**	ˈru:mətizm
sciatica	**sciatica**	saiǽtik
soffocamento	**suffocation**	ˌsʌfəkéiʃn
starnuto	**sneezing**	ˈsni:ziŋ
stitichezza	**constipation**	ˌkɒnstipéiʃn
svenimento	**fainting**	ˈfeintiŋ
tenia	**taenia**	ˈti:niə
tetano	**tetanus**	ˈtetənəs
tonsillite	**tonsillitis**	ˌtɒnsiláitis
tosse	**cough**	ˈkɔ:f
trombosi	**thrombosis**	θrɒmbəúsis
tumore	**tumour**	ˈtju:mə
ulcera	**ulcer**	ˈʌlsə
vertigini	**vertigo**	ˈvɜ:tigəu

MALATTIE CONTAGIOSE E VIRALI

AIDS	**AIDS**	ˈeidz
colera	**cholera**	ˈkɒlərə
difterite	**diphtheria**	difθíəriə
epatite virale	**viral hepatitis**	ˈvaiərəl hepətáitis
malattie veneree	**venereal diseases**	viníərəl dizí:z

4.4 SALUTE E CURE

meningite	**meningitis**	ˌmenindʒáitis
morbillo	**measles**	ˈmi:zəlz
orecchioni	**mumps**	ˈmʌmps
parotite	**parotitis**	ˌpærətáitis
rosolia	**German measles**	ˈdʒɜ:mən ˈmi:zəlz
scarlattina	**scarlet fever**	ˈska:litˈfi:və
tifo	**typhus**	ˈtaifəs
tubercolosi	**tuberculosis**	tjubɜ:kjuləúsis
vaiolo	**smallpox**	ˈsmɔ:lpɒks
varicella	**chickenpox**	ˈtʃikənpɒks

TRAUMI

abrasione	**abrasion**	əbréiʒn
commozione cerebrale	**concussion of the brain**	kənkʌ́ʃn ɒv θəˈbrein
contusione	**bruise**	ˈbru:z
distorsione	**sprain**	ˈsprein
ematoma	**haematoma**	ˌhi:mətəúmə
escoriazione	**excoriation**	ˌekskɔ:éiʃn
ferita	**injury**	ˈindʒəri
frattura	**fracture**	ˈfræktʃə
folgorazione	**electric burn**	ˈilektrikˈbɜ:n
insolazione	**sunstroke**	ˈsʌnstrəuk
lesione	**lesion**	ˈli:ʒn
lussazione	**dislocation**	ˌdisləkéiʃn
morsicatura	**bite**	ˈbait
puntura d'insetto	**insect sting**	ˈinsektˈstiŋ
shock	**shock**	ˈʃɒk
taglio	**cut**	ˈkʌt
ustione	**burn**	ˈbɜ:n
versamento	**effusion**	ifjú:ʒn

PARTI DEL CORPO

appendice	**appendix**	əpéndiks
arteria	**artery**	ˈa:təri
articolazione	**articulation**	a:tikjuléiʃn
ascella	**armpit**	ˈa:mpit
bacino	**pelvis**	ˈpelvis
bocca	**mouth**	ˈmauθ
braccio	**arm**	ˈa:m
bronchi	**bronchi**	ˈbrɒnkai
caviglia	**ankle**	ˈænkəl
clavicola	**collar bone**	ˈkɒləˈbəun
collo	**neck**	ˈnek

4.4 SALUTE E CURE

colonna vertebrale	**vertebral column**	ˈvɜːtibrəl ˈkɒləm
coscia	**thigh**	ˈθai
costola	**rib**	ˈrib
cranio	**skull**	ˈskʌl
cuore	**heart**	ˈhaːt
dito (*del piede*)	**toe**	ˈtəu
dito (*della mano*)	**finger**	ˈfiŋgə
esofago	**oesophagus**	iːsɒ́fəgəs
faringe	**pharynx**	ˈfæriŋks
fegato	**liver**	ˈlivə
femore	**femur**	ˈfiːmə
fianco	**side/hip**	ˈsaid / ˈhip
gamba	**leg**	ˈleg
ghiandola	**gland**	ˈglænd
ginocchio	**knee**	ˈniː
gola	**throat**	ˈθrəut
gomito	**elbow**	ˈelbəu
intestino	**intestine**	intéstin
labbro	**lip**	ˈlip
laringe	**larynx**	ˈlæriŋks
lingua	**tongue**	ˈtʌŋ
mano	**hand**	ˈhænd
mascella	**jaw**	ˈdʒɔː
mento	**chin**	ˈtʃin
milza	**spleen**	ˈspliːn
muscolo	**muscle**	ˈmʌsəl
narice	**nostril**	ˈnɒstril
naso	**nose**	ˈnəuz
nervo	**nerve**	ˈnɜːv
orecchio	**ear**	ˈiə
organi genitali	**genital organs**	ˈdʒenitəl ˈɔːgənz
osso	**bone**	ˈbəun
ovaia	**ovary**	ˈəuvəri
palato	**palate**	ˈpælət
pancia	**belly/tummy**	ˈbeli / ˈtʌmi
pelle	**skin**	ˈskin
pene	**penis**	ˈpiːnis
perone	**perone**	ˌperəńi
petto	**chest**	ˈtʃest
piede	**foot**	ˈfuːt
polmone	**lung**	ˈlʌŋ
polso	**pulse**	ˈpʌlz
rene	**kidney**	ˈkidni
sangue	**blood**	ˈblʌd
schiena	**back**	ˈbæk
seno	**breast**	ˈbrest

spalla	**shoulder**	ˈʃəuldə
stomaco	**stomach**	ˈstʌmək
tendine	**tendon**	ˈtendən
testa	**head**	ˈhed
tibia	**tibia**	ˈtibiə
tonsilla	**tonsil**	ˈtɒnsil
utero	**womb**	ˈwuːm
vagina	**vagina**	vədʒáinə
vena	**vein**	ˈvein
vertebra	**vertebra**	ˈvɜːtibrə
vescica	**bladder**	ˈblædə

RICHIESTA DI ASSISTENZA

Mi sento male.
I feel ill.

Ho bisogno di un medico.
I need a doctor.

Vorrei chiamare un pediatra.
I'd like to call a paediatrician.

C'è un medico in albergo/nel campeggio?
Is there a doctor in the hotel/camping site?

Si può trovare un medico che parli italiano?
Would it be possible to have an Italian-speaking doctor?

Il medico può venire a visitare qui?
Can the doctor come visiting here?

Chiamate un'ambulanza.
Please call an ambulance.

Dov'è l'ambulatorio?
Where is the surgery?

Dov'è un ospedale?
Where is there a hospital?

Dov'è un pronto soccorso?
Where is there a first-aid station?

NEL CORSO DELLA VISITA

Le frasi possono riferirsi a se stessi oppure ad altri ammalati, incapaci di spiegarsi, ad esempio un bambino.

Ho/ha … di febbre da … ore.
I have/He/She has had a temperature for … hours.

Ho/ha mangiato/bevuto qualcosa che mi/gli/le ha fatto male.

4.4 SALUTE E CURE

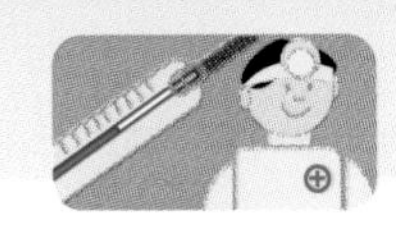

I have/He/She has eaten/drunken something which has made me/him/her ill.

What have you eaten/drunken?
Che cosa ha mangiato/bevuto?

Lie down here.
Si stenda qui.

Get undressed.
Si spogli.

What do you feel?
Che cosa si sente?

Avverto un malessere generale.
I have a general sense of malaise.

Mi gira la testa.
My head is spinning.

Mi sento debole.
I feel weak.

Ho/a ...
I have/He/She has ...

... i brividi/ i crampi.
... **got the shivers/the cramps.**
... il raffreddore/l'influenza.
... **got a cold/the 'flu.**
... l'indigestione/la diarrea/la nausea.
... **got indigestion/diarrhea/nausea. .**
... le emorroidi/un forte prurito.
... **got haemorrhoids/a nasty itch.**
... un'ernia/un ascesso.
... **got a hernia/an abscess.**
... vomitato.
... **vomited.**

Mi è venuto/a ...
I have developed ...

... uno sfogo/un gonfiore.
... **a spot/a swelling.**
... un'eruzione/un eczema.
... **a rash/eczema.**
... un'irritazione/un'infiammazione.
... **an irritation/an inflammation.**

Where does it hurt?
Dove sente male?

Dappertutto.
All over.

Le articolazioni/le braccia/le gambe ...
My joints/arms/legs ...

La testa/gli occhi...
My head/eyes ...
I denti ...
My teeth ...
La pancia/lo stomaco...
My tummy/stomach ...
... mi fa/fanno male.
... **ache/aches.**

Le orecchie/la gola mi fanno/fa male.
My ears are/throat is sore.

Mi fa male la schiena/il petto.
My back/chest hurts.

What kind of pain is it?
Che genere di dolore è?

È un dolore ...
It is ... pain.
... acuto/sordo/molto forte.
... **a sharp/a dull/a throbbing** ...
... intermittente/persistente.
... **an intermittent/a persistent** ...

How long has it/have they been hurting?
Da quanto tempo avverte il dolore?

Does it hurt here?
Le fa male qui?

Have you already taken any medicine?
Ha già preso delle medicine?

Open your mouth.
Apra la bocca.

I'll have to examine you with the stethoscope.
La devo auscultare.

Take a deep breath.
Respiri profondamente.

Cough.
Tossisca.

Turn over/round.
Si giri.

I'll take your blood pressure.
Le misurerò la pressione.

È contagioso?
Is it contagious?

È grave?
Is it serious?

Può indicarmi il nome della malattia su questa lista?
Would you point to the name of the illness on this list, please?

Don't worry. It's nothing serious.
Non si preoccupi, non è niente di grave.

Soffro/e di … .
I suffer/He/She suffers from … .

Sono/È allergico a … .
I am/He/She is allergic to … .

Sono/È diabetico.
I am/He/She is a diabetic.

What is the dose of insulin you/he/she usually take/s?
Qual è la sua dose normale di insulina?

Orally or by intravenous injection?
Per via orale o endovenosa?

Sono incinta di … mesi.
I am … months pregnant.

Take this … times a day for … days before/during/after meals.
Prenda questo … volte al giorno per … giorni prima/ durante/dopo i pasti.

I'll prescribe an antibiotic for you.
Le prescriverò un antibiotico.

I'll write a prescription for the chemist.
Le faccio una ricetta per andare in farmacia.

Stay in bed until the fever has gone down.
Rimanga a letto fino a quando non sarà passata la febbre.

You need a specialist doctor.
Lei ha bisogno di uno specialista.

Fast for … days.
Stia a digiuno per … giorni.

Keep your diet light/Keep off heavily-seasoned foods.
Mangi leggero/in bianco.

You'll have to have an enema.
Deve fare un enteroclisma.

Do not go outside.
Non esca.

You'll have to do a test on your blood/urine/faeces.
Deve sottoporsi a un prelievo del sangue/dell'urina/ delle feci.

I must give you an … (1) injection … (2) .
Debbo farle un'iniezione …

… (1) antibiotic/anti tetanus …
… di antibiotico/antitetanica.

*... (2) **to ease the pain.***
... calmante contro il dolore.

You'll have to stay in hospital for a little.
Devo ricoverarla in ospedale.

Potrebbe avvertire la mia famiglia?
Could you inform my family, please?

Posso continuare il viaggio?
Can I continue on my journey?

MEDICI SPECIALISTI

dentista	**dentist**	ˈdentist
ginecologo	**gynaecologist**	ˌgainikɒlədʒist
oculista	**optician**	ɒpt i ʃn
otorino-laringoiatra	**ear, nose and throat specialist**	iə ˈnəuz ənd ˈθrəut ˈspeʃəlist
ortopedico	**orthopaedist**	ˌɔːθəpˈiːdist
pediatra	**paediatrician**	ˌpiːdiətrˈiʃn
psichiatra	**psychiatrist**	saikáiətrist
psicologo	**psychologist**	saikɒləgist
veterinario	**veterinary surgeon**	ˈvetərinəri ˈsɜːdʒən

IN CASO DI STATI ANSIOSI E SIMILI

Mi sento molto agitato.
I feel very agitated.

Ho crisi di ansia.
I suffer from bouts of anxiety.

Non riesco a dormire.
I can't sleep.

Ho insonnia e disappetenza.
I suffer from insomnia and a poor appetite.

Mi sento depresso.
I feel depressed.

Può prescrivermi ...
Can you prescribe ... for me, please?

... un sonnifero/un sedativo?
... **a sleeping pill/a sedative** ...
... un ansiolitico/un tranquillante?
... **an anxiolytic/a tranquillizer** ...

Have you already taken any medicament?
Ha già preso medicinali?

Are you already being treated for these symptoms?
Lei è in cura per questi sintomi?

Do you already have any drugs which you usually take?

Usa già un medicinale abituale?

Può farmi una ricetta per questo medicinale?

Could you write me out a prescription for this medicine?

That one is not available here. I'll prescribe an equivalent medicine.

Questo non esiste da noi, le prescrivo un equivalente.

DAL DENTISTA E DALL'ODONTOTECNICO

canino	**canine tooth**	ˈkeinainˈtuːθ
carie	**decay**	diˈkei
dente del giudizio	**wisdom tooth**	ˈwizdəmˈtuːθ
estrazione	**extraction**	ikˈstrækʃn
gengiva	**gum**	ˈgʌm
incisivo	**incisor**	inˈsaizə
molare	**molar**	ˈməulə
premolare	**premolar**	priːˈməulə

Mi può consigliare un dentista?

Could you recommend a dentist?

Vorrei prendere un appuntamento con il dottor … .

I'd like to make an appointment with Doctor … , please.

When for?

Per quando?

Prima possibile. È urgente.

As soon as possible, please. It's urgent.

Ho un forte mal di denti

I have terrible toothache.

Mi fa male questo dente.

This tooth hurts.

Ho un ascesso.

I've got an abscess.

Mi si è rotta un'otturazione.

One of my fillings has come out.

Mi si è rotto un dente.

I have broken a tooth.

Mi può dare qualcosa contro il dolore?

Can you give me something for the pain?

Keep your mouth wide open.

Tenga la bocca ben aperta.

The tooth is decayed.

Il dente è cariato.

You have got an abscess.

Lei ha un ascesso.

Your tooth must be ...
Il suo dente va ...
... filled/rebuilt.
... otturato/ricostruito.
... taken out/devitalized.
... tolto/devitalizzato.

Può fare un lavoro provvisorio?
Can you deal with it temporarily?

I must extract the tooth.
Le devo estrarre il dente.

I must drill the tooth.
Le devo trapanare il dente.

I'll give you a local anaesthetic.
Le faccio un'anestesia locale.

It will hurt for a few seconds.
Le farò male per pochi secondi.

Mi si è rotta/o ...
I have broken my ...
... l'apparecchio.
... **dental plate.**
... la capsula.
... **crown.**
... la dentiera.
... **denture.**

Può ripararla/o?
Can you repair it?

Può fare una riparazione provvisoria?
Can you repair it for the time being?

Quando sarà pronta?
When will it be ready?

Mi può fare un preventivo di spesa?
Can you give me an estimate of the cost, please?

Don't chew on that side for a few hours.
Non mastichi da questa parte per qualche ora.

OCULISTA E OTTICO

Vorrei misurarmi la vista.
I'd like to have my eyes tested.

Mi si è improvvisamente abbassata la vista.
All of a sudden my eyesight has got worse.

Non ci vedo più bene da un occhio.
I can no longer see properly out of one eye.

Vedo appannato/sfuocato.
My vision is blurred/out of focus.
Sono astigmatico/miope/presbite.
I am astigmatic/short-sighted/far-sighted.
Ho rotto le lenti/ho perduto le lenti a contatto.
My lenses are broken/I've lost my contact lenses.
Può sostituirmele?
Can you replace them for me, please?
Quando saranno pronte?
When will they be ready?

PARCELLA E PAGAMENTO

Quanto devo?
How much do I owe you?
Pago a lei o all'infermiera?
Shall I pay you or the nurse?
Può rilasciarmi ricevuta?
Could you give me a receipt, please?

AL PRONTO SOCCORSO

NEL CASO DI TRASPORTO D'URGENZA DI TRAUMATIZZATI AL PRONTO SOCCORSO

Sono caduto.
I fell.
Ho battuto …
I banged my …
… il bacino/il coccige.
… **hip/coccyx.**
… il femore/il ginocchio.
… **thigh-bone/kneecap.**
… il gomito/la schiena.
… **elbow/back.**
… la testa.
… **head.**
Ho preso la scossa elettrica.
I had an electric shock.
Mi sono …
I've … **myself.**
… punto/ustionato.
… **pricked/burnt** …
… scorticato/tagliato.
… **grazed/cut** …

Un animale…
An animal …
Un cane …
A dog …
Una vipera …
A viper/snake …
… mi ha morso.
… **has bitten me.**

Mi ha punto un insetto.
An insect has stung me.

Può esaminare questo/a …
Could you examine this …
… bernoccolo/tumefazione?
… **lump/swelling?**
… escoriazione/graffio?
… **graze/scratch?**
… puntura/taglio?
… **sting/cut?**

Ho preso troppo sole.
I have been in the sun too long.

Faccio fatica a respirare.
I have difficulty in breathing.

Mi è entrato qualcosa nell'occhio.
I've got something in my eye.

Ho perso molto sangue.
I've lost a lot of blood.

Il mio gruppo sanguigno è … positivo/negativo.
My blood group is … **positive/negative.**

Does it hurt here?
Le fa male qui?
Does it hurt if I press/pull/push here/move it?
Le fa male se premo/tiro/spingo/muovo?
Do you want to vomit?
Ha urto di vomito?
Raise your arm/leg as far as you can.
Alzi il braccio/la gamba finché può.
You have …
Lei ha …
… ***concussion of the brain/a head injury.***
… *la commozione cerebrale/un trauma cranico.*
… ***a bruise/a dislocation.***
… *una contusione/una lussazione.*
… ***a fracture/a sprain.***
… *una frattura/una slogatura.*

... pulled a muscle.
... uno strappo muscolare.
We must give you ...
Dobbiamo farle/darle ...
... a compress.
... un impacco.
... a minor operation.
... un piccolo intervento.
... a plaster cast.
... un'ingessatura.
... a tight/splinted bandaging.
... una fasciatura stretta/steccata.
... an X-ray.
... una radiografia.
... a local/general anaesthetic.
... un'anestesia locale/totale.
... a pain killer.
... un calmante per il dolore.
... a few stitches.
... dei punti di sutura.
Come back in ... days ...
Torni fra ... giorni per ...
... to have a fresh dressing.
... rifare la fasciatura.
... to have the plaster removed.
... togliere il gesso
... for a check up.
... un controllo.
... to have the stitches taken out.
... togliere i punti.
You'll have to stay in bed for a few days.
Dovrà rimanere a letto per qualche giorno.
You'll have to spend a little time in hospital.
Dobbiamo ricoverarla/o.

Nel caso si assista alla visita di un traumatizzato impossibilitato a rispondere per proprio conto

È svenuto.
He/She has fainted.
È caduto.
He/She has fallen.
È stato investito.
He/She has been run over.
È stato folgorato.
He/She has had an electric shock.

Ha già avuto un attacco cardiaco.
He/She has had a heart attack.

È soggetto a …
He/She is prone to …

… convulsioni.
… **convulsions.**
… crisi epilettiche.
… **epileptic fits.**
… emorragie.
… **haemorrhages.**

È allergico a … .
He/She is allergic to …

We need the authorization of a member of the family.
Abbiamo bisogno dell'autorizzazione di un familiare.

The prognosis is uncertain.
La prognosi è riservata.

IN FARMACIA

acqua	**water**	'wɔ:tə
distillata	**distilled water**	distíld 'wɔ:tə
oligominerale	**w. low in mineral content**	'wɔ:tə ləu in'minərəl 'kɒntənt
ossigenata	**hydrogen peroxide**	'haidrədʒən pərɒ́ksaid
alcol	**methylated spirits**	'meθileitid 'spirits
analgesico	**analgesic**	ˌænældʒí:sik
antibiotico	**antibiotic**	ˌæntibaiɒ́tik
anticoncezionali	**contraceptives**	ˌkɒntrəséptivz
antipiretico	**antipyretic**	ˌæntipairétik
antisettico	**antiseptic**	ˌæntiséptik
aspirine	**aspirin**	'æsprin
assorbenti igienici	**sanitary towels**	'sænitəri 'tauəlz
esterni	**S.T.'s**	es ti:z
interni	**internal tampons**	intɜ́:nəl 'tæmpənz
astringente	**astringent**	ə́strindʒənt
benda	**bandage**	'bændidʒ
bollitore	**boiler**	'bɔilə
borsa dell'acqua calda	**hot water bottle**	'hɒt 'wɔ:tə 'bɒtəl
cachet	**headache powder**	'hedeik 'paudə
calmante	**sedative**	'sedətiv
cerotti	**plasters**	'plæstəz
cicatrizzante	**cicatrizant**	'sikətraizənt
clistere	**enema**	'enimə

collirio	**eye-wash/drops**	ˈaiwɔːʃ / drɒps
collutorio	**mouthwash**	ˈmauθwɔːʃ
cortisone	**cortisone**	ˈkɔːtizəun
crema	**ointment**	ˈɔintmənt
– contro le punture	**o. for insect bites**	fɔːˈinsekt ˈbaits
– contro le scottature	**o. for sunburn**	fɔːˈsʌn ˈbɜːn
– per neonati	**baby cream**	ˈbeibiˈkriːm
digestivo	**digestive**	didʒéstiv
disinfettante	**disinfectant**	ˌdisinféktənt
farmacia	**chemist's**	ˈkemists
farmaco	**drug for**	ˈdrʌg fɔː
– per via endovenosa	**intravenous injections**	ˌintrəvíːnəs indʒékʃnz
– per via intramuscolare	**d. f. intramuscular injections**	ˌintrəmʌskjulə indʒékʃnz
– per via orale	**d. f. oral use**	ˈɔːrəl ˈjuːz
– per v. rettale	**d. f. rectal use**	ˈrektəlˈjuːz
fascia elastica	**elastic bandage**	ˈilæstikˈbændidʒ
gargarismo	**gargle**	ˈgaːgəl
garza sterile	**sterile gauze**	ˈsterailˈgɔːz
gocce	**drops**	ˈdrɒps
iniezione	**injection**	indʒékʃnz
insetticida	**insecticide**	inséktisa id
insulina	**insulin**	ˈinsjulin
laccio emostatico	**haemostat (tourniquet)**	ˌhiːməstǽtik ˈtuənikeit
lassativo	**laxative**	ˈlæksətiv
pasticche sterilizzanti	**sterilizing tablets**	ˌsterilá iziŋ ˈtæbləts
pomata	**ointment**	ˈɔintmənt
prodotti	**products**	ˈprɒdʌkts
per diabetici	**for diabetics**	fɔːˌdaiəbétik
omeopatici	**homeopathic products**	ˈhəumiəupæθik prɒdʌkts
preservativi	**condoms**	ˈkɒmdəmz
saccarina	**saccharine**	ˈsækəriːn
salvaslip	**panty liners**	ˈpæntiˈlainz
sciroppo	**syrup**	ˈsirəp
sedativo	**sedative**	ˈsedətiv
siringa	**syringe**	ˈsirəp
sonnifero	**sleeping pill**	ˈsliːpiŋˈpil
supposte	**suppositories**	səpɒ́zitəri
termometro	**thermometer**	ˈθɜːməumitə
tintura di iodio	**tincture of iodine**	ˈtiŋktjə ɒvˈaiədiːn
tranquillante	**tranquillizer**	ˈtræŋkwiląizə

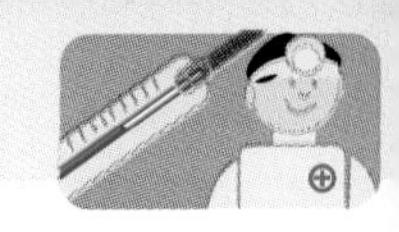

vaccino	**vaccine**	ˈvæksiːn
vaselina	**Vaseline**	ˈvæsiliːn
vitamine	**vitamins**	ˈvaitəmiːnz

Dov'è una farmacia aperta?
Where can I find a chemist's open?

A che ora aprono/chiudono le farmacie?
What time do chemists open/close?

Dov'è una farmacia aperta 24 ore/la notte/i festivi?
Where is there a chemist's open round the clock/at night/ on holidays?

Vorrei qualcosa contro …
I'd like something for …

… il mal di denti/di gola/di testa.
… **tooth ache/a sore throat/a headache.**
… il raffreddore da fieno.
… **hay fever.**
… il raffreddore/l'influenza.
… **a cold/'flu.**

Ci sono controindicazioni?
Are there any contraindications?

Va bene per chi soffre di … ?
Is it all right for … sufferers?

Vorrei del (nome di farmaco).
I'd like some (…).

This drug can only be handed over if you have a prescription.
Non posso darle questo prodotto senza ricetta.

Può fare questa preparazione?
Could you make up this preparation, please?

C'è molto da aspettare?
Will I have to wait long?

AREA 5. SCOPRIRE

5.1 INCONTRI

5.2 VISITE E GITE

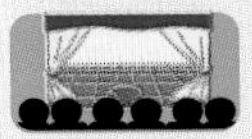

5.3 SPETTACOLI E DIVERTIMENTI

5.4 ACQUISTI E SHOPPING

Quest'Area contempla le situazioni più tipiche del viaggio, ossia visitare monumenti e musei, fare escursioni, assistere a spettacoli e manifestazioni sportive, svagarsi all'aria aperta e divertirsi giocando, fare acquisti di generi necessari e voluttuari. Il dettaglio è massimo, sia nel frasario che nel lessico, per dare al viaggiatore la migliore assistenza nell'organizzare i momenti più emozionanti e gratificanti del suo viaggio, specialmente nella Situazione 5.4. Il lessico di quest'ultima è stato compilato con particolare cura, puntando a consentire il massimo possibile di scelta fra generi e articoli, perché anche il viaggiatore più esigente si trovi a proprio agio nel fare shopping, possa ottenere esattamente ciò che desidera e sia messo in condizione di far valere fino in fondo le proprie ragioni se l'acquisto o il prezzo non fossero di suo gradimento.

5.1 INCONTRI

PRIMI APPROCCI

Where do you come from?
Da dove viene?

Sono italiano.
I am Italian.

Sono qui ...
I'm here
... in vacanza/per lavoro.
... on holiday/on business.
... per motivi di studio/per un convegno.
... to study/for a conference.

Parlo solo italiano..
I only speak Italian.

Capisco solo un po' d'inglese.
I understand just a little English.

Non ho capito. Può ripetere?
I don't understand. Could you repeat, please?

Is this your first time in ... ?
È la prima volta che viene in ... ?

Ci sono già stato un'altra volta.
I have been here once before.

Where are you staying?
Dove alloggia?

Sono ...
I'm ...
... in un albergo/campeggio.
... at a hotel/camping site.
... presso una famiglia/in casa d'amici.
... staying with a family/friends.

Do you like ... ?
Le piace ... ?

Sì, mi piace/no, non mi piace.
Yes, I do./No, I don't.

È sempre così freddo/caldo?
Is it always so cold/hot?

Bella giornata oggi.
A lovely day today.

5.1 INCONTRI

INFORMAZIONI E CONSIGLI

Queste poche frasi sono utili per l'approccio ad un interlocutore "indigeno". La particolare informazione o il contenuto del dialogo dipende evidentemente dalle circostanze e dalle specifiche esigenze del caso.

Parla italiano?
Do you speak Italian?
Potrebbe aiutarmi?
Could you help me, please?
Può parlare più lentamente/a voce più alta?
Could you speak more slowly/loudly, please?
Può scriverlo?
Would you write it down, please?
Può tradurmi cosa c'è scritto?
Could you translate what's written, please?
Può indicarmi la parola sul frasario?
Could you show me the word in the phrase book, please?
Come si pronuncia?
How do you pronounce it?

SALUTI E PRESENTAZIONI

Mi chiamo … .
My name is
Posso presentarle … ?
May I introduce you to … ?
Piacere di conoscerla.
Pleased to meet you.
Come sta?
How are you?
Sto bene,grazie e Lei?
I'm fine, thanks. And you?
Non c'è male.
All right, thanks.
Spero di incontrarla di nuovo.
I hope to see you again.

CONOSCENZE E INVITI

Disturbo?
May I come in/join you?

Sono arrivato da poco.
I have just arrived.

Lei è del posto?
Are you from here?

Dove abita?
Where do you live?

Da quale paese viene?
Which country are you from?

Da quale città?
Whereabouts?

Dove è diretto/a?
Where are you heading for?

Si fermerà molto?
Are you staying long?

È in viaggio anche lei?
Are you also a traveller?

È sola/o?
Are you alone?

Vuole ballare?
Would you like to dance?

Posso invitarla a bere qualcosa?
Can I offer you something to drink?

Verrebbe con me/noi …
Would you like to come with me/us …

… al teatro/cinema?
… **to the theatre/cinema?**
… in discoteca?
… **to a discotheque?**
… a fare una passeggiata?
… **for a walk?**

Vorrei invitarla a cena.
I would like to invite you to dinner.

Dove possiamo incontrarci?
Where can we meet?

Qual è il suo numero telefonico?
What's your telephone number?

Il mio numero telefonico è … .
My telephone number is … .

5.1 INCONTRI

Ci vediamo alle ore …, la verrò a prendere a casa/in albergo.
I'll see you at … I'll fetch you at home/the hotel.

Spero di incontrarla nuovamente.
I hope to see you again.

È stata una splendida serata.
It has been a lovely evening.

No, thank you. I'd rather not.
Grazie, preferisco di no.

With pleasure.
Con piacere.

I'm engaged.
Sono impegnato/a.

5.2 VISITE E GITE

VISITARE LUOGHI E MONUMENTI

borsa	**Stock Exchange**	ˈstɒk ikstʃéindʒ
centro commerciale	**commercial centre**	kəmɜ́:ʃəlˈsentə
esposizione	**exhibition**	ˌeksibíʃn
fiera	**fair**	ˈfeə
mercato delle pulci	**flea market**	ˈfli:ˈma:kət
mostra	**display**	displéi
acquario	**aquarium**	əkwéəriəm
antichità	**antiques**	æntí:k
area archeologica	**archaeological site**	ˌa:kiɒlɒ́dʒikəl ˈsait
biblioteca	**library**	ˈlaibrəri
castello	**castle**	ˈka:səl
catacombe	**catacombs**	ˈkætəku:mz
centro storico	**historical centre**	ˈhistɒrikəlˈsentə
città vecchia	**ancient town**	ˈeinʃəntˈtaun
collezione	**collection**	kəlékʃn
fontana	**fountain**	ˈfauntin
fortezza	**fortress**	ˈfɔ:tris
galleria d'arte	**art gallery**	ˈa:tˈgæləri
giardino	**garden**	ˈga:dən
giardino botanico	**botanic gardens**	bətǽnikˈga:dən
grotta	**cave**	ˈkeiv
luna park	**fun fair**	ˈfʌnfeə
lungolago	**lakeside**	ˈleiksaid
lungomare	**sea front**	ˈsi:ˈfrʌnt
mausoleo	**mausoleum**	ˌmɔ:səlí:əm
municipio	**town hall**	ˈtaunˈhɔ:l
mura	**town walls**	ˈtaunˈwɔ:lz
palazzo	**building**	ˈbildiŋ
parco	**park**	ˈpa:k
parlamento	**parliament**	ˈpa:ləmənt
planetario	**planetarium**	ˌplænitǽriəm
pinacoteca	**picture gallery**	ˈpiktʃə ˈgæləri
porta	**gate**	ˈgeit
quartiere	**quarter**	ˈkwɔ:tə
rovine	**ruins**	ˈruinz
scavi	**excavations**	ˌekskəvéiʃn
stadio	**stadium**	ˈsteidjəm
teatro	**theatre**	ˈθietə
tempio	**temple**	ˈtempəl
tomba	**tomb**	ˈtu:m
torre	**tower**	ˈtauə

tribunale	**law-court**	ˈlɔːˌkɔːt
università	**university**	ˌjuːnivɜːsiti

Dov'è l'uffico turistico?
Where is the tourist office?

Che cosa c'è di interessante da visitare?
What is there of interest to visit?

Ha dei pieghevoli illustrativi?
Have you got any brochures?

Qual è l'orario d'apertura?
What are the opening times?

È aperto la domenica?
Is it open on Sundays?

Quanto tempo ci vuole per visitare … ?
How long does it take to visit … ?

C'è una visita guidata a … ?
Is there a guided tour to … ?

Vorrei una guida in italiano.
I'd like a guide in Italian.

Che cos'è questo edificio?
What is this building?

Chi l'ha costruito?
Who was it built by?

A che epoca risale?
What period is it from?

Dov'è la casa (natale) di … ?
Where is the house/birthplace of … ?

Ci sono riduzioni per giovani/pensionati/gruppi?
Are there reduced rates for young people/old age pensioners/groups?

VISITARE MUSEI, MOSTRE, COLLEZIONI

Nel corso della visita si possono incontrare i seguenti cartelli e avvisi

The taking of photographs is strictly forbidden.
È vietato fotografare.

Use of flash forbidden.
Vietato fotografare col flash.

Do not touch the exhibits.
Vietato toccare le opere.

In restoration.
Opera in restauro.

Room/Wing closed for restoration.
Sala/ala chiusa per restauri.

Rooms not open to the general public.
Sale non aperte al pubblico.

Dov'è …
Where is …

… il monumento … ?
… the monument to … ?
… l'ingresso del museo?
… the museum entrance?
… la biglietteria del museo … ?
… the ticket office for the … museum?

In quale museo è conservato il quadro/la statua di … ?
Which museum houses the painting/statue by/of … ?

The museum is closed for refurbishment.
Il museo è chiuso per restauri.

Quanto costa il biglietto?
How much is the ticket?

Esiste un biglietto cumulativo per tutti i musei della città?
Is there a collective ticket for all the museums in the city/town?

Esistono biglietti validi più giorni?
Is there a period ticket valid for more than one day?

C'è un giorno in cui l'ingresso è gratuito?
Is there a day of free entrance?

Che orario fa il museo … ?
What are the museum opening times?

Qual è il giorno di chiusura?
When is the closing day?

Fino a quando dura la mostra di … ?
How long will the exhibition of … last?

The exhibition has been extended until … .
La mostra è stata prorogata fino al … .

Dov'è il guardaroba?
Where is the cloakroom?

Ci sono visite guidate in italiano/inglese?
Are there guided visits in Italian/English?

A che ora comincia la visita guidata?
What time does the guided tour start?

Ha una guida/un catalogo in italiano/inglese?
Have you got a guide/a catalogue in Italian/English?

5.2 VISITE E GITE

C'è una audioguida?
Is there an audioguide?
È possibile visitare la collezione … ?
Is the … collection open to visitors?

> ***This section is open on alternate days.***
> *Questa sezione è aperta a giorni alterni.*

Dov'è la sezione di … ?
Where is the section on/of … ?
Dov'è la sala di … ?
Where is the room of … ?
Chi ha dipinto questo quadro?
Who painted this picture?

> ***Work attributed to … .***
> *Opera attribuita a … .*

A che epoca risale quest'opera?
What period is this work from?
Dov'è …
Where is …
… la toilette/il bar/ristorante?
… the toilet/bar/restaurant?
… l'ascensore/la scala/l'uscita?
… the lift/staircase/exit?
… il book-shop/la libreria?
… the book shop?
Fra quanto chiude il museo?
When does the museum close?

> ***The museum closes in 30 minutes. Please go to the exit.***
> *Il museo chiude fra 30 minuti. Avvicinarsi all'uscita.*

STILI, TECNICHE, OGGETTI E MATERIALI

acquaforte	**etching**	ˈetʃiŋ
acquerello	**water colour**	ˈwɔːtəkɒlə
affresco	**fresco**	ˈfreskəu
arazzo	**tapestry**	ˈtæpistri
argento	**silver**	ˈsilvə
armatura	**armoury**	ˈaːməri
artigianato	**handicrafts**	ˈhændikraːft
autoritratto	**self portrait**	ˈselfpɔːtreit
avorio	**ivory**	ˈaivəri
bassorilievo	**bas-relief**	ˈbæsriliːf
bozzetto	**sketch**	ˈsketʃ
bronzo	**bronze**	ˈbrəunz
busto	**bust**	ˈbʌst

5.2 VISITE E GITE

capitello	**capital**	ˈkæpitəl
ceramica	**ceramics**	siˈræmik
colonna	**column**	ˈkɒləm
copia	**copy**	ˈkɒpi
cornice	**frame**	ˈfreim
dipinto	**painting**	ˈpeintiŋ
disegno	**drawing**	ˈdrɔːiŋ
fregio	**frieze**	ˈfriːz
frontone	**pediment**	ˈpedimənt
glittica	**glyptic**	ˈgliptik
graffito	**graffito**	grəˈfiːtəu
icona	**icon**	ˈaikən
incisione	**engraving**	ingˈreiviŋ
intaglio	**carving**	ˈkaːviŋ
intarsio	**inlaid work**	ˌinˈleidˈwɜːk
legno	**wood**	ˈwuːd
litografia	**lithograph**	ˈliθɒgrəːf
maiolica	**majolica**	məjˈɒlikə
marmo	**marble**	ˈmaːbəl
medaglia	**medal**	ˈmedəl
miniatura	**miniature**	ˈminitʃə
mobilio	**furniture**	ˈfɜːnitʃə
mosaico	**mosaic**	məuˈzeik
mummia	**mummy**	ˈmʌmi
natura morta	**still life**	ˈstilˈlaif
numismatica	**numismatics**	ˌnjumismˈætiks
obelisco	**obelisk**	ˈɒbəlisk
paesaggio	**landscape**	ˈlændskeip
pala	**altar piece**	ˈɔːltəˈpiːs
pastello	**pastel**	pæsˈtel
pittore	**painter**	ˈpeintə
pittura a olio	**oil painting**	ˈoilˈpeintiŋ
porcellana	**porcelain**	ˈpɔːsəlin
quadro	**picture**	ˈpiktʃə
rame	**copper**	ˈkɒpə
ritratto	**portrait**	ˈpɔːtreit
sarcofago	**sarcophagus**	saːˈkɒfəgəs
schizzo	**sketch**	ˈsketʃ
scultura	**sculpture**	ˈskʌlptʃə
serigrafia	**serigraph**	ˈserigraːf
smalto	**enamel**	ˈinæməl
stele	**stele**	ˈstiːl
stucco	**plaster**	ˈplaːstə
tavola	**panel**	ˈpænəl
tela	**canvas**	ˈkænvəs
tempera	**tempera**	ˈtempərə
terme	**spa**	ˈspa

5.2 VISITE E GITE

terracotta	**earthenware**	'ɜ:θən'weə
vaso	**vase**	'veiz
xilografia	**woodcut**	'wu:dcʌt

CHIESE, LUOGHI SACRI E DI CULTO

abbazia	**abbey**	'æbi
abside	**apsis**	'æpsis
altare	**altar**	'ɔ:ltə
basilica	**basilica**	bəzílikə
battistero	**baptistery**	'bæptistəri
campanile	**steeple**	'sti:pəl
cappella	**chapel**	'tʃæpəl
cattedrale	**cathedral**	kəθí:drəl
chiesa	**church**	'tʃɜ:tʃ
chiostro	**cloister**	'klɔistə
cimitero	**cemetry**	'semitəri
confessionale	**confessional**	kənféʃnəl
convento	**convent**	'kɒnvənt
coro	**choir**	'kwaiə
cripta	**crypt**	'kript
crocefisso	**crucifix**	'kru:sifiks
cupola	**dome**	'dəum
duomo	**cathedral**	kəθí:drəl
facciata	**facade**	fəsá:d
fonte battesimale	**font**	'fɒnt
guglia	**spire**	'spaiə
monastero	**monastery**	'mɒnəstəri
moschea	**mosque**	'mɒsk
navata	**nave/aisle**	'neiv / 'ail
organo	**organ**	'ɔ:gən
pala	**altar piece**	'ɔ:ltəpi:s
portale	**portal**	'pɔ:təl
pulpito	**pulpit**	'pulpit
reliquia	**relic**	'relik
rosone	**rosette**	rəuzét
sacrestia	**sacristy**	'sækristi
sinagoga	**synagogue**	sinəgɒ́g
transetto	**transept**	'trænsept
vetrata	**stained-glass window**	'steind'gla:s 'windəu

Si può visitare la chiesa?
Is the church open to tourists?

Quando è stata costruita?
When was it built?

GITE, ESCURSIONI E VIAGGI

Si veda anche la voce Pullman extraurbani nell'Area 2.5.

Dov'è un'agenzia turistica?
Where can I find a tourist agency?

Vorrei fare ...
I'd like to go on ...

... una visita guidata della città.
... a guided tour of the city.

... un'escursione a ... .
... an excursion to ... .

... una gita in battello a ... .
... a boat trip to ... .

Quanto costa a persona?
How much does it cost per person?

Che cosa è compreso nel prezzo?
What is included in the price?

Included are: coach, guide, entrance ticket, packed lunch/lunch in a restaurant.
Sono compresi: pullman, guida, biglietto d'ingresso, colazione al sacco/in ristorante.

Quanto tempo ci vuole?
How long does it take?

A che ora si parte/si torna?
What time is the departure/return?

Qual è il programma della visita?
What is the tour plan?

Ci sono guide che parlano italiano?
Are there Italian-speaking guides?

Da dove si parte?
Where is the point of departure?

Dove sarà il pranzo?
Where is the stop for lunch?

Dove pernotteremo?
Where is the overnight stop?

Saremo coperti da assicurazione?
Are we covered by insurance?

EVENTUALI RINUNCE E RECLAMI

Vorrei cambiare la data dell'escursione.
I'd like to change the excursion date.

5.2 VISITE E GITE

Vorrei cancellare la prenotazione.
I'd like to cancel my booking.

Ho diritto al rimborso per intero?
Am I allowed a refund in full?

Non avete rispettato il programma.
You did not keep to the programme.

Nel programma dell'escursione …
In the excursion programme …

… era prevista anche la visita di … .
… there was supposed to be a visit to … .
… il pranzo era incluso nel prezzo.
… the price was inclusive of lunch.
… il biglietto era incluso nel prezzo.
… the price was inclusive of the entrance ticket.

AL MARE, AL LAGO, SUL FIUME

bagnino	**life guard**	ˈlaifga:d
barca	**boat**	ˈbəut
a motore	**motorboat**	ˈməutəbəut
a remi	**rowing boat**	ˈrəuiŋˈbəut
a vela	**yacht / sailing boat**	ˈjɒt / ˈseiliŋˈbəut
boa	**buoy**	ˈbɔi
boccaglio	**nozzle**	ˈnɒzəl
cabina	**cabin / hut**	ˈkæbin / ˈhʌt
canotto	**skiff**	ˈskif
maschera	**mask**	ˈma:sk
mare	**sea**	ˈsi:
calmo	**calm s.**	ˈka:m ˈsi:
mosso	**choppy s.**	ˈtʃɒpi ˈsi:
ombrellone	**umbrella**	ʌmbrélə
pinne	**flippers**	ˈflipəz
salvagente	**life -belt**	ˈlaif-belt
sedia a sdraio	**deck chair**	ˈdekˈtʃeə
stabilimento balneare	**bathing establishment**	ˈbeiðiŋ ˈistæbliʃmənt
tavola da surf	**surf board**	ˈsɜ:fˈbɔ:d
– da windsurf	**windsurf board**	ˈwinzɜ:fˈbɔ:d
telo da spiaggia	**beach towel**	ˈbi:tʃˈtauəl

Dov'è la spiaggia più vicina?
Where is the nearest beach?

È una spiaggia sabbiosa/sassosa?
Is it a sandy/pebbly beach?

Ci sono correnti?
Are there any currents?

È sicuro fare il bagno qui?
Is it safe to bathe here?

È possibile noleggiare l'equipaggiamento per la pesca subacquea?
Can I hire the kit for subsea fishing?

Vorrei noleggiare … .
I'd like to hire … .

No bathing.
Divieto di balneazione.

ALL'ARIA APERTA

bosco	**wood**	ˈwu:d
brughiera	**moor**	ˈmu:ə
campo	**field**	ˈfi:ld
canale	**canal**	kənǽl
cascata	**waterfall**	ˈwɔ:təfɔ:l
cima	**top**	ˈtɒp
collina	**hill**	ˈhil
duna	**dune**	ˈdju:n
fauna	**wild life**	ˈwaildlaif
fiume	**river**	ˈrivə
flora	**flora**	ˈflɔ:rə
foresta	**forest**	ˈfɔ:rəst
fossato	**ditch**	ˈditʃ
lago	**lake**	ˈleik
montagna	**mountain**	ˈmauntin
parco naturale	**natural park**	ˈnætjurəlˈpa:k
ponte	**bridge**	ˈbridʒ
prato	**meadow**	ˈmedəu
rifugio	**refuge**	ˈrefju:dʒ
ruscello	**stream**	ˈstri:m
scogliera	**cliff**	ˈklif
sentiero	**path**	ˈpa:θ
sorgente	**spring**	ˈspriŋ
stagno	**pond**	ˈpɒnd
valle	**valley**	ˈvæli

È una strada panoramica?
Is it a panoramic road?

È un itinerario naturalistico?
Is it a nature trail?

Ci sono visite guidate del parco?
Are there guided tours of the park?

5.2 VISITE E GITE

Ci sono villaggi nelle vicinanze?
Are there any villages in the vicinity?

Ci si può arrivare /a piedi/a cavallo/in bicicletta?
Can we get there on foot/on horseback/by bicycle?

Avete una cartina ...
Have you got a map ...

... degli itinerari?
... of itineraries?

... dei sentieri?
... of paths?

POSSIBILI SEGNALAZIONI DURANTE L'ESCURSIONE

Do not pick the flowers.
Vietato raccogliere fiori.

Do not leave the paths.
Non abbandonare i sentieri.

Do not feed the animals.
Non date da mangiare agli animali.

Danger. Do not leave your vehicle.
Pericolo. Vietato scendere dall'automobile.

5.3 SPETTACOLI E DIVERTIMENTI

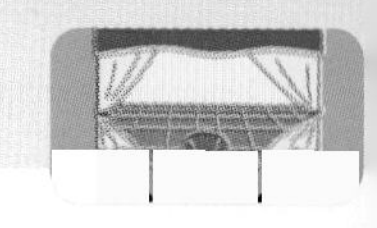

CINEMA, TEATRO E CONCERTI

PROGRAMMAZIONE E BIGLIETTI

anteprima	**preview**	ˈpri:vju:
balletto	**ballet**	ˈbælei
circo	**circus**	ˈsɜ:kəs
commedia	**play**	ˈplei
compagnia	**company**	ˈkʌmpəni
coreografia	**choreography**	ˌkɒriˈɒgrəfi
danza	**dancing**	ˈda:nsiŋ
classica	**classical ballet**	ˈklæsikəlˈbælei
folkloristica	**folk dance**	ˈfɔ:kˈda:nsiŋ
moderna	**modern dance**	ˈmɒdənˈda:ns
dramma	**dramatic play**	drəmǽtikˈplei
esibizione	**exhibition**	ˌekshibˈiʃn
film	**movie**	ˈmu:vi
galleria	**gallery**	ˈgæləri
intervallo	**interval**	ˈintəvəl
marionette	**puppets**	ˈpʌpəts
maschera	**usher(ette)**	ˈʌʃə / ˌʌʃərét
melodramma	**opera**	ˈɒpərə
mimo	**mime**	ˈmaim
multisala	**auditoriums**	ˌɔ:ditɔ́:rəm
musica	**music**	ˈmju:zik
da camera	**chamber music**	ˈtʃæmbəˈmju:zik
lirica	**operatic music**	ˌɒpərǽtikˈmju:zik
sacra	**sacred music**	ˈseikridˈmju:zik
sinfonica	**symphonic m.**	simfɒ́nikˈmju:zik
tradizionale	**traditional folk m.**	trədiʃnəlˈfɔ:kˈmju:zik
opera	**opera**	ˈɒpərə
oratorio	**oratorio**	ˌɒrətɔ́:riəu
palco	**box**	ˈbɒks
platea	**stalls**	ˈstɔ:lz
poltrona	**seat**	ˈsi:t
prima	**first night**	ˈfɜ:stˈnait
programma	**programme**	ˈprəugræm
proiezione	**screening**	ˈskri:niŋ
rappresentazione	**performance**	pəfɔ́:məns
rassegna	**exhibition**	ˌekshibˈiʃn
regia	**direction/ production**	dirékʃn / prədʌ́kʃn
replica	**repeat performance**	ripˈi:t pəfɔ́:məns
sala	**hall**	ˈhɔ:l
scena	**scene**	ˈsi:n
scenografia	**scenery**	ˈsi:nəri

5.3 SPETTACOLI E DIVERTIMENTI

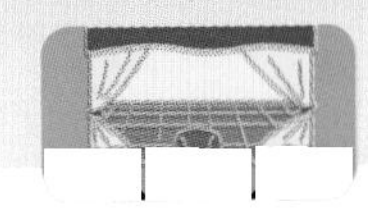

schermo	**screen**	ˈskriːn
serata	**evening**	ˈiːvniŋ
di beneficenza	**charity performance**	ˈtʃærəti / pəfɔ́ːməns
di gala	**gala evening**	ˈgaːlə ˈiːvniŋ
spettacolo	**show**	ˈʃəu
diurno	**matinée**	mætinéi
per bambini	**children's show**	ˈtʃildrənz ˈʃəu
suoni e luci	**son et lumière**	ˌsɒneilúːmjeə
tempo	**act**	ˈækt
varietà	**variety**	vəráiti

POSSIBILI AVVISI O ANNUNCI

No admittance to minors of … years.
Vietato ai minori di … anni.
Performance cancelled/postponed to …
Rappresentazione annullata/rinviata al … .

Ha il programma dei cinema di stasera?
Have you got this evening's cinema programme, please?

Ha il programma settimanale dei teatri?
Have you got the weekly theatre programme?

Vorrei il programma del festival di … .
I'd like the … festival programme.

C'è un bollettino con il programma degli spettacoli?
Have you got a list of entertainments, please?

È necessario prenotare il posto?
Must one book seats beforehand?

Dove posso trovare i biglietti per … ?
Where can I get tickets for … ?

At the theatre box office.
Direttamente al botteghino del teatro.
The advance ticket office is in … .
La prevendita è in … .

Quanto costa un posto in platea/in prima/seconda galleria/ in un palco?
How much is a seat in the stalls/in the dress circle/in the gallery/in a box?

Vorrei prenotare … biglietti in … per il concerto di … .
I'd like to book … seats in … for the concert of …

Tickets for that date are all sold out.
In quella data è tutto esaurito.
There are still tickets just for …
Sono rimasti posti solo per il giorno … .

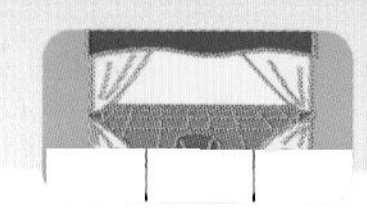

Sono buoni questi posti?
Are these seats good?

Vorrei un posto centrale.
I'd like a central seat.

A che ora inizia/termina lo spettacolo?
What time does the show begin/end?

INFORMAZIONI SUGLI SPETTACOLI

Può consigliarmi un buon concerto di musica … ?
Can you suggest a good … music concert?

Che genere è?
What kind is it?

Chi è/sono …
Who is/are …

… l'autore/il regista/gli attori principali?
… the author/the play producer/the film director/the leading actors?
… il direttore d'orchestra/ il solista?
… the conductor/the soloist?
… l'orchestra/i ballerini?
… the orchestra/the dancers?

È in … [lingua]?
Is it in … ?

Ci sono sottititoli?
Are there any sub-titles?

DENTRO AL TEATRO

Dov'è il guardaroba/la toilette?
Where is the cloakroom/the toilet?

Dove sono questi posti?
Where are these seats?

È possibile cambiare posto? Non vedo/sento niente!
Can I change my seat? I cannot see/hear anything!

The performance has already begun. You can't go into the auditorium.
Lo spettacolo è già iniziato, non può entrare in sala.

C'è l'intervallo?
Is there an interval?

Dove rimborsano i biglietti?
Where can I get a refund for my ticket?

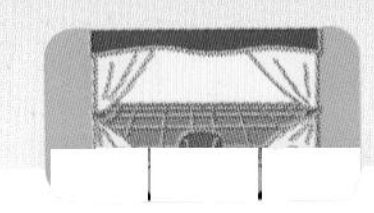

LOCALI NOTTURNI, DISCOTECHE E NIGHT-CLUB

Può consigliarmi …
Could you suggest …
… un pianobar/night-club/una discoteca?
… a piano bar/night club/discotheque?
… un locale dove suonano musica … ?
… somewhere where … music is played?

A che ora chiude il locale?
What time does it close?

Che genere di locale è?
What kind of place is it?

INDOSSARE L'ABBIGLIAMENTO ADEGUATO

Per entrare in alcuni locali, ristoranti e teatri è richiesto un abbigliamento adeguato all'occasione.

Evening dress/jacket and tie/formal dress is requested.
È richiesto/a l'abito da sera/giacca e cravatta/l'abito lungo.

MANIFESTAZIONI E PRATICHE SPORTIVE

amichevole	**friendly**	ˈfrendli
arbitro	**referee/umpire**	ˈrefəri /ˈʌmpaiə
arti marziali	**martial arts**	ˈmaːʃiəlˈaːts
atletica	**athletics**	æθlétiks
batteria	**heat**	ˈhiːt
calcio	**soccer**	ˈsʌkə
campo di gioco	**playing field/ court/course**	ˈpleiŋˈfild /ˈkɔːt / ˈkɔːs
canottaggio	**canoeing**	kənúːiŋ
ciclismo	**cycling**	ˈsaikliŋ
circuito	**track/lap**	ˈtræk /ˈlæp
corridore	**(racing) competitor**	kəmpétitə
corsa	**racing**	ˈreisiŋ
automobilistica	**motorcar racing**	ˈməutəkaːˈreisiŋ
di cani	**greyhound r.**	ˈgreiˌhaundˈreisiŋ
di cavalli	**horse racing**	ˈhɔːsˈreisiŋ
motociclistica	**motorcycle r.**	ˈməutəsaikəlˈreisiŋ
podistica	**foot racing**	ˈfuːtˌreisiŋ
equitazione	**riding**	ˈraidiŋ
fallo	**fault/foul**	ˈfɔːlt /ˈfaul
finale	**finals**	ˈfainəlz
fondo	**cross-country**	ˈkrɒs-kauntri

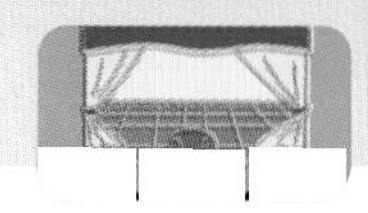

ginnastica	**gymnastics**	dʒimnǽstiks
giocatore	**player**	ˈpleiə
incontro	**match**	ˈmætʃ
ippodromo	**race course**	ˈreisˈkɔːs
mezzofondo	**middle-ground r.**	ˈmidəl-graundˈreis
nuoto	**swimming**	ˈswimiŋ
pallacanestro	**basket ball**	ˈaːskitˈbɔːl
pallanuoto	**water polo**	ˈwɔːtəˈpəuləu
pallavolo	**volley ball**	ˈvɒliˈbɔːl
partenza	**start**	ˈstaːt
pattinaggio	**skating**	ˈskeitiŋ
a rotelle	**roller skating**	ˈrəuləˈskeitiŋ
su ghiaccio	**ice skating**	ˈaisˈskeitiŋ
pilota	**racing car driver**	ˈreisiŋˈkaːˈdraivə
pista	**track**	ˈtræk
pugilato	**boxing**	ˈbɒksiŋ
quarto di finale	**quarter finals**	ˈkwɔːtəˈfainəlz
rete (*calcio*)	**goal**	ˈgəul
rete (*tennis, pallavolo*)	**net**	ˈnet
risultato	**score**	ˈskɔːə
scherma	**fencing**	ˈfensiŋ
semifinale	**semi-finals**	ˈsemi-faịnəlz
sostituzione	**replacement**	ripléismənt
stadio	**stadium**	ˈsteidjəm
traguardo	**finishing post**	ˈfiniʃiŋˈpəust
tribuna	**(grand)stand**	ˈgrændstænd

LE PRINCIPALI DISCIPLINE ATLETICHE

100/200/400/800/1500/5000/10.000 metri piani
100/200/400/800/l500/5000/10,000 metres flat race

110/400 metri ostacoli
110/400 metres hurdle race

3000 siepi
3000 hurdle steeple chase

lancio del peso/del disco/del giavellotto
shot put/the discus/javelin throwing

maratona
marathon

salto in alto/in lungo/triplo/con l'asta
high/long/triple jump/pole vaulting

staffetta 4x100/4x400
4 by 100/4 by 400 relay

Ci sono manifestazioni sportive in questo periodo?
Are there any sporting events at this time?

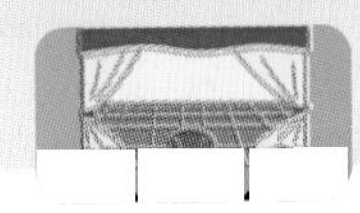

There is an international tournament of … .
C'è il torneo internazionale di … .
There are the … championships.
C'è il campionato di … .

Quali squadre giocano?
Which teams are playing?

Vorrei andare a vedere una partita di … .
I'd like to see a … match.

Dove si trovano i biglietti per la partita di domenica prossima?
Where can I get tickets for next Sunday's match?

Ci sono posti numerati?
Are there any numbered seats?

Qual è il punteggio?
What is the score?

Chi ha segnato?
Who has scored?

Chi ha vinto?
Who has won?

Vorrei scommettere … su … (vincente/piazzato) nella … corsa.
I'd like to place a bet of … on … (winning/coming …) in the … race.

A quanto lo danno?
What are the odds on … (nome)**?**

ALTRE DISCIPLINE E PRATICHE SPORTIVE

aerobica	**aerobics**	ˌeərəúbiks
alpinismo	**rock climbing**	ˈrɒkˈklaimiŋ
caccia	**hunting**	ˈhʌntiŋ
canoa	**canoeing**	kənú:iŋ
cavallo	**horse riding**	ˈhɔ:sˈraidiŋ
cicloturismo	**touring by bicycle**	ˈtuəriŋ baiˈbaisikəl
cricket	**cricket**	ˈkrikit
deltaplano	**hang gliding**	ˈhæŋdˈglaidiŋ
palestra	**gym**	ˈdʒim
paracadutismo	**parachuting**	ˈpærəʃu:tiŋ
parapendio	**sky diving**	ˈskaiˈdaiviŋ
pesca	**fishing**	ˈfiʃiŋ
ping-pong	**ping-pong**	ˈpiŋpɒŋ
sci nautico	**water ski-ing**	ˈwɔ:təˈski:iŋ
tiro	**shot/throw**	ˈʃɒtˈθrəu
con l'arco	**archery**	ˈa:tʃəri
al piattello	**clay-pigeon shooting**	ˈklei-pidʒin ˈʃu:tiŋ

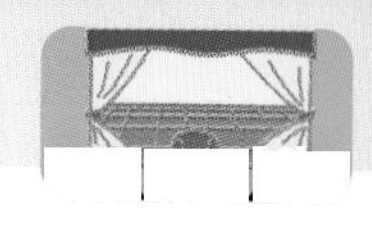

vela	**sailing**	'seiliŋ
volo a vela	**sailplaning**	'seilplæniŋ

Quali sport si possono praticare qui?
What sports facilities are there here?

Dove si può fare una partita a … ?
Where can you play a game of … ?

Dove si trova …
Where can I find …

… una piscina all'aperto/al chiuso?
… a(n) open-air/covered swimming pool?
… un campo da tennis/da golf?
… a tennis court/golf course?
… un maneggio?
… a riding stable?

Vorrei prendere delle lezioni di … .
I'd like to take … lessons.

Sono principiante, non ho mai giocato a … .
I am a beginner. I have never played … .

Gioco abbastanza bene a … .
I play … quite well.

Cerco qualcuno con cui giocare a … .
I am looking for someone to play … with.

Vorrei prenotare il campo per domani dalle … alle … .
I'd like to book a court/pitch for tomorrow from … to … .

Reserved for members/hotel clients.
È riservato ai soci/ai clienti dell'hotel.

Vorrei noleggiare …
I'd like to hire …

… una canna da pesca.
… a fishing rod.
… una racchetta da tennis.
… a tennis racket.
… un paio di pattini.
… a pair of skates.
… un windsurf/una barca a vela.
… a windsurfing board/yacht.

L'acqua della piscina è riscaldata?
Is the water in the swimming pool heated?

Swimming caps must be worn in the pool.
Per entrare in piscina è obbligatorio l'uso della cuffia.

Showers are compulsory before entering the pool.
Obbligo di fare la doccia prima di entrare in piscina.

No diving.
Non fare tuffi.

5.3 SPETTACOLI E DIVERTIMENTI

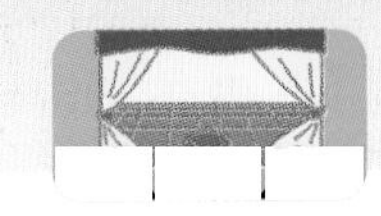

Il campo è all'aperto?
Is it an open-air court?
È possibile pescare qui?
Is there any fishing here?
È possibile fare immersioni subacquee?
Is skin diving practised here?
È possibile fare pesca subacquea?
Is there any underwater fishing here?

Yes, but without air cylinders.
Sì, ma senza bombole di ossigeno.

SPORT INVERNALI

bastoncini	**sticks**	'stiks
ovovia	**cable car**	'keibəlka:
pattini da ghiaccio	**ice skates**	'ais'skeits
scarponi	**boots/shoes**	'bu:ts /'ʃu:z
sciovia	**ski lift**	'skilift
sci	**ski-ing**	'ski:iŋ
da discesa	**downhill ski-ing**	'daunhil'ski:iŋ
da fondo	**cross-country s.**	'krɒskauntri'ski:iŋ
seggiovia	**chair lif**	'tʃeəlift

Dove si fa lo skipass?
Where do I get a skipass?
Dove sono le piste da sci?
Where are the ski runs?
Dov'è la scuola di sci?
Where is the ski school?
Vorrei prendere delle lezioni di sci.
I'd like to take skiing lessons.
Sono principiante.
I am a beginner.
Vorrei noleggiare … .
I'd like to hire … .
Dov'è la funivia?
Where is the cableway?
È difficile questa pista?
Is this ski run difficult?

SEGNALAZIONI SULLE PISTE

Do not ski off the track.
Non lasciare la pista.

Danger of avalanches.
Pericolo valanghe.

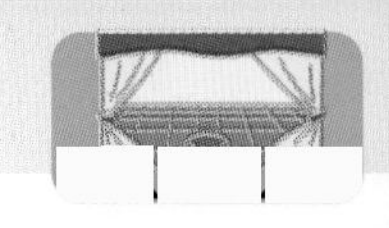

SVAGHI E GIOCHI

alfiere	**bishop**	ˈbiʃəp
asso	**ace**	ˈeis
biliardo	**billiards**	ˈbiljəd
birilli	**skittles**	ˈskitəlz
boccette	**balls**	ˈbɔːlz
canasta	**canasta**	kənæstə
carte	**playing cards**	ˈpleiŋ ˈkaːdz
casinò	**casino**	kəsˈiːnəu
cavallo	**knight**	ˈnait
colore	**suit** (carte), **flush** (poker)	ˈsuːt / ˈflʌʃ
compagno	**partner**	ˈpaːtnə
coppia	**pair**	ˈpeə
cuori	**hearts**	ˈhaːts
dadi	**dice**	ˈdais
dama	**draughts/king**	ˈdraːfts / ˈkiŋ
dichiarare	**bid**	ˈbid
distribuire	**deal**	ˈdiːl
donna	**queen**	ˈkwiːn
doppia coppia	**two pairs**	tuːˈpeəz
fante	**jack**	ˈdʒæk
fiori	**clubs**	ˈklʌbz
gioco	**game**	ˈgeim
d'abilità	**game of skill**	ɒvˈskil
di carte	**game of cards**	ɒvˈkaːdz
jolly	**joker**	ˈdʒəukə
mazzo	**pack**	ˈpæk
mossa	**turn/move**	ˈtɜːn / ˈmuːv
pallino	**object ball/jack**	ˈɒbdʒəktˈbɔːl / ˈdʒæk
passare	**pass**	ˈpaːs
pedina	**piece/chessman**	ˈpiːs / ˈtʃesmæn
pedone	**pawn**	ˈpɔːn
picche	**spades**	ˈspeidz
puntare	**bet**	ˈbet
punti	**points**	ˈpɔints
quadri	**diamonds**	ˈdaiəmənd
re, regina	**king, queen**	ˈkiŋ, ˈkwiːn
scacchi	**chess**	ˈtʃes
scacchiera	**chessboard**	ˈtʃesbɔːd
scacco al re	**the king in check**	θəˈkiŋ inˈtʃek
scacco matto	**checkmate**	ˈtʃekmeit
scala	**run**	ˈrʌn
stecca	**cue**	ˈkjuː
taglio	**cut**	ˈcʌt

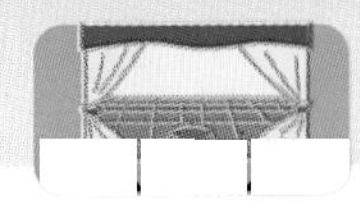

tavolo da gioco	**games table**	ˈgeimzˈteibəl
torre	**rook**	ˈrɒk
tris	**three**	ˈθriː

Dove posso giocare a … ?
Where can I play … ?

Avete giochi di società?
Have you got any party games?

Vorrei iscrivermi al torneo di … .
I'd like to enter for the … tournament.

Dove si trova una sala giochi/il casinò?
Where can I find a gaming room/casino?

Qual è la puntata minima?
What are the minimum stakes?

Può spiegarmi il gioco?
Could you explain the game to me, please?

Qual è il programma delle attività del villaggio per … ?
What is the resort's entertainment programme … ?

Dove posso iscrivermi al torneo/corso di … ?
Where do I sign up for the … tournament/course?

Dove posso noleggiare l'attrezzatura per … ?
Where can I hire … equipment?

Vogliamo fare una partita a … ?
Shall we have a game of … ?

Non so giocare a … .
I can't play … .

Non amo giocare d'azzardo.
I don't like gambling.

5.4 ACQUISTI E SHOPPING

ALLA RICERCA DI UN NEGOZIO, DI UN ARTICOLO O DI UN SERVIZIO

In questo elenco si trovano soltanto quegli esercizi cui non è dedicato un lessico specifico nel prosieguo di questa voce.

animali	**pets**	ˈpets
antiquario	**antiques**	ænˈtiks
armeria	**hunting equipment**	ˈhʌntiŋ ˈikipmənt
arredamento	**furnishings**	ˈfɜ:niʃiŋ
articoli	**items**	ˈaitəmz
da campeggio	**camping items**	ˈkæmpiŋˈaitəmz
da regalo	**gift items**	ˈgiftˈaitəmz
da viaggio	**travel items**	ˈtrævəlˈaitəmz
religiosi	**ecclesiastical i.**	ˌikli:ziǽstikˈaitəmz
sportivi	**sports items**	ˈspo:tsˈaitəmz
aste	**auctions**	ˈɔ:ʃnz
biciclette (riparazione)	**bicycle (repairs)**	ˈbaisikəl ripéəz
ceramiche	**ceramics**	siræ̀mik
chincaglieria	**fancy goods**	ˈfænsiˈgu:dz
cristalleria	**crystalware**	ˈkristəlweə
drogheria	**grocery**	ˈgrəusəri
elettricista	**electrician**	ˌilektrˈiʃn
erboristeria	**health food**	ˈhelθˈfu:d
ferramenta	**hardware (stores)**	ˈha:dweəˈstɔ:z
filatelia	**stamp collecting**	ˈstæmp kəléktiŋ
frutta e verdura	**greengrocery**	ˈgri:nˈgrəusəri
gastronomia	**delicatessen**	ˌdelikətésn
gelateria	**ice-cream parlour**	ˈais-kri:mˈpa:lə
giocattoli	**toys**	ˈtɔiz
illuminazione	**light fittings**	ˈlaitˈfitiŋz
latteria, formaggi	**dairy**	ˈdeəri
libreria	**bookshop**	ˈbukʃɒp
manifesti	**posters**	ˈpəustə
merceria	**haberdashery**	ˈhæbədæʃə
mobili	**furniture**	ˈfɜ:nitʃə
panetteria	**bakery**	ˈbeikəri
pasticceria	**pastry (shop)**	ˈpæstriˈʃɒp
pellicceria	**furrier's**	ˈfʌriəz
pescheria	**fishmongery**	ˈfiʃmʌŋgəri
porcellane	**china (shop)**	ˈtʃainəˈʃɒp
premaman e neonati	**maternity wear and infant care**	mətɜ̀:nitiˈweə əndˈinfəntˈkeə
recapiti	**addresses**	ədrésiz

ricami	**embroidery**	imbrɔidəri
rosticceria	**rotisserie**	rəuťisəri
salumeria	**grocer's**	ˈgrəusəz
sartoria	**dress maker's/ tailor**	ˌdresˈmeikəz / ˈteilə
souvenir	**souvenir**	ˌsu:vənˈiə
stampe, incisioni	**prints, engravings**	ˈprints / ingrˈeiviŋz
stereofonia e alta fedeltà	**stereo and hi-fi**	ˈsteriəu əndˈhaaiˈfai
strumenti	**instruments**	ˈinstruməntsˌ
tappeti	**carpets**	ˈka:pits
veterinario	**veterinary surgeon**	ˈvetərinəri ˈsɜ:dʒən
vetri artistici	**fancy glassware**	ˈfænsiˈgla:sweə
vini e liquori	**wines and liqueurs**	ˈwainz ənd ˈlikjuəz

Dove si trova …
Where can I find …
… il più vicino negozio di … ?
… the nearest … shop?
… un centro commerciale/un grande magazzino?
… a shopping centre/a department store?
… un supermercato/un mercato?
… a supermarket/a market?

Che orario fa? Quali sono i giorni di chiusura?
What are the opening times? What are the closing days?

Può indicarmi una zona con dei buoni negozi?
Can you tell me where there is a good shopping area?

Può consigliarmi …
Could you suggest …
… un buon negozio di … ?
… a good … (shop)?
… un negozio di … non troppo caro/non turistico?
… a … (shop) which is not too expensive/not touristy?

NEL NEGOZIO

All'esterno del negozio può esserci una delle seguenti scritte:

Free entrance
Ingresso libero

Fixed prices
Prezzi fissi

Self service. Please pay at the cash desk.
Servitevi da soli e pagate alla cassa

5.4 ACQUISTI E SHOPPING

ATTENZIONE AI CARTELLI CHE DICONO:

Sales/Discounts/Sales
Liquidazione/Sconti/Saldi

Promotional sales/Special offers/Bargains
Vendita promozionale/Offerta speciale/Occasioni

cassiere/a	**cashier**	kæʃiə
commesso/a	**shop assistant**	ˈʃɒp əsˈistənt
merce	**goods**	ˈgu:dz
reparto	**department**	dipá:tmənt

Can I help you? Do you need any help?
Desidera? Posso aiutarla?

Vorrei dare un'occhiata.
I'd like to have a look.

Vorrei vedere quel/quella … in vetrina/sul banco/sullo scaffale.
I'd like to see that … in the window/on the counter/on the shelf.

It's not for sale.
Non è in vendita.

Which colour do you prefer?
Quale colore preferisce?

Avete …
Have you got …

… altre marche/altri colori/altri modelli?
… any other makes/any other colours/any other models?
… qualcosa di …
… something …
… diverso/meglio/meno caro?
… different/better/cheaper?
… più chiaro/scuro?
… lighter/darker?
… più grande/piccolo?
… bigger/smaller?
… più leggero/pesante?
… lighter/heavier(thicker)?
… più recente/tipico?
… more up-to-date/typical?

It is sold out. New stocks will arrive in … days.
È esaurito, arriverà fra … giorni.

Può ordinarlo? Mi occorre entro … .
Could you order it, please? I need it by …

5.4 ACQUISTI E SHOPPING

GRANDE MAGAZZINO, SUPERMERCATO E CENTRO COMMERCIALE

Per orientarvi in un grande magazzino o in un centro commerciale, occhio alla segnaletica. Per individuare i generi che vi interessano, fate riferimento alla lista di negozi e generi commerciali posta all'inizio e rivolgetevi al servizio informazioni.

Dove sono i carrelli?
Where are the trolleys?

Dov'è il reparto … ?
Where is the … department?

Esiste una piantina del centro?
Is there a plan of the town centre?

Dov'è …
Where is …

… l'ascensore/la scala mobile/l'uscita?
… **the lift/the escalator/the exit?**
… la cassa/l'ufficio reclami e cambi?
… **the cash desk/customer services office?**

TESSUTI (ANCHE SINTETICI) E LANE

acrilico	**acrylic**	əkrˈilik
batista	**batiste**	bætˈist
cachemere	**cashmere**	ˈkæʃmiə
cotone	**cotton**	ˈkɒtən
disegno	**pattern**	ˈpætən
a pois	**polka dot pattern**	ˈpɒlkəˈdɒtˈpætən
a quadretti	**checked pattern**	ˈtʃektˈpætən
a righe	**striped pattern**	ˈstraiptˈpætən
fantasia	**patterned**	ˈpætənd
scozzese	**tartan pattern**	ˈta:tənˈpætən
elasticizzato	**elasticized**	ˈilæstisaizd
feltro	**felt**	ˈfelt
fibra sintetica	**synthetic fibre**	sinθetikˈfaibə
flanella	**flannel**	ˈflænəl
gabardina	**gabardine**	ˈgæbədi:n
irrestringibile	**unshrinkable**	ʌnʃrˈiŋkəbəl
lana	**wool**	ˈwu:l
lino	**linen**	ˈlinən
mussolina	**muslin**	ˈmʌslin
pelo di cammello	**camelhair**	ˈkæməlheə
raso	**satin**	ˈsætin
scampolo	**remnant**	ˈremnənt

seta	**silk**	ˈsilk
shetland	**shetland wool**	ˈʃetlænd ˈwu:l
spugna	**towelling**	ˈtauəliŋ
taffetà	**taffeta**	ˈtæfitə
tela	**canvas**	ˈkænvəs
tulle	**tulle**	ˈtju:l
velluto	**velvet**	ˈvelvit
velluto a coste	**corduroy**	ˈkɔ:dərɔi

È un tessuto fatto a mano?
Is this fabric hand-woven?

Di che altezza sono le pezze?
What is the width of the rolls?

Lo avete in tinta unita?
Have you got it in a plain colour?

Quanto viene al metro?
How much is it the metre?

> ***Mixture 60% linen/40% synthetic fibre.***
> Misto lino 60%/fibra sintetica40%.

ABBIGLIAMENTO E MAGLIERIA PRONTA

abito	**dress** (donna)	ˈdres
camicia	**shirt**	ˈʃɜ:t
camicetta	**blouse**	ˈblauz
canottiera	**vest**	ˈvest
cappotto	**coat**	ˈkəut
cappuccio	**hood**	ˈhu:d
costume da bagno	**bathing costume**	ˈbeiðiŋˈkɒstju:m
doppiopetto	**double-breasted (jacket)**	ˈdʌbəlbrestidˈdʒækit
felpa	**plush sweater**	ˈplʌʃ ˈswetə
giacca	**jacket**	ˈdʒækit
giacca a vento	**wind-cheater**	ˈwind-ˌtʃi:tə
gilet	**waistcoat**	ˈweistkəut
giubbotto	**sports jacket**	ˈspɔ:tsˈdʒækit
golf	**jumper/sweater**	ˈdʒʌmpə /ˈswetə
gonna	**skirt**	ˈskɜ:t
grembiule	**apron**	ˈeiprən
impermeabile	**raincoat**	ˈreinkəut
maglia	**jersey**	ˈdʒɜ:zi
maglietta	**vest**	ˈvest
maglione	**pullover (thick)**	ˈpuləuvə
pantaloncini	**shorts**	ˈʃɔ:ts
pantaloni	**trousers**	ˈtrauzəz

pelliccia	**fur**	ˈfɜː
scollatura	**neck line**	ˈneklain
tailleur	**suit**	ˈsuːt
vestito	**suit** (uomo)	ˈsuːt

Vorrei un … .
I'd like a … .

Vorrei un … per mio/a figlio/a.
I'd like a … for my son/daughter.

> ***What size are you/is he/she?***
> Che taglia porta?

Porto/a la taglia … italiana.
I am/He is/She is Italian size … .

Avete altri colori?
Have you got any other colours?

Vorrei un colore che si intoni con questo.
I'd like a colour that matches this.

Posso provarlo?
Can I try it on?

> ***The fitting booth is over there.***
> *Si accomodi nel camerino di prova.*

> ***How does it fit?***
> *Come le sta?*

Va bene.
It's all right.

È un po' …
It's a little too …

… stretto/largo.
… **tight/big.**
… lungo/corto.
… **long/short.**
… abbondante/aderente.
… **ample/close-fitting.**

Vorrei la taglia superiore/inferiore.
I'd like a bigger/smaller size.

Che tessuto è?
What material is it?

Potete fare delle modifiche?
Could you make some alterations?

Potete fare l'orlo?
Could you do the hem?

Quanto tempo ci vuole?
How long will it take?

5.4 ACQUISTI E SHOPPING

ARTICOLI DA CUCITO

ago	**needle**	ˈni:dəl
automatico (bottone)	**press stud**	ˈpresˈstʌd
ditale	**thimble**	ˈθimbəl
filo	**thread**	ˈθred
spillo	**pin**	ˈpin
spillo di sicurezza	**safety pin**	ˈseiftiˈpin

BIANCHERIA INTIMA, NOTTE E BAGNO

accappatoio	**towelling wrap**	ˈtauəliŋˈwræp
biancheria	**lingerie/ underwear**	ˈlindʒəri / ˈʌndəweə
calzamaglia	**tights**	ˈtaits
calze	**stockings**	ˈstɒkiŋz
calzini	**socks**	ˈsɒks
camicia da notte	**night dress**	ˈnaitdres
giarrettiere	**garter**	ˈga:tə
guaina	**girdle**	ˈgɜ:dəl
mutande	**underpants/ panties**	ˈʌndəpænts / ˈpæntiz
pigiama	**pyjamas**	pidʒá:məz
reggicalze	**suspender belt**	səspéndəˈbelt
reggiseno	**brassière**	ˈbræziə
sottogonna	**waist slip**	ˈweistˈslip
sottoveste	**petticoat**	ˈpetikəut
vestaglia	**dressing gown**	ˈdressiŋˈgaun

CAPPELLI, CRAVATTE E ACCESSORI

berretto	**cap**	ˈkæp
bottoni	**buttons**	ˈbʌtənz
bretelle	**braces**	ˈbreisiz
cappello	**hat**	ˈhæt
cravatta	**tie**	ˈtai
farfalla	**bowtie**	ˈbəutai
fibbia	**buckle**	ˈbʌkəl
gemelli	**cufflinks**	ˈkʌfliŋks
ombrello	**umbrella**	ʌmbrélə
papalina	**skull cap**	ˈskʌlkæp
scialle	**shawl**	ˈʃɔ:l
sciarpa	**scarf**	ˈska:f

5.4 ACQUISTI E SHOPPING

PELLETTERIA E VALIGERIA

borsa	**bag**	ˈbæg
borsetta	**purse**	ˈpɜːs
camoscio	**chamois leather**	ˈʃæwaːˈleðə
cervo	**deerskin**	ˈdiəskin
cinghiale	**pigskin**	ˈpigskin
cintura	**belt**	ˈbelt
daino	**doeskin**	ˈdɔːskin
guanti	**gloves**	ˈgləuvz
pelle	**leather**	ˈleðə
pelle scamosciata	**suede**	ˈsweid
portachiavi	**keyring**	ˈkiːriŋ
portafogli	**wallet**	ˈwɔːlit
portamonete	**purse**	ˈpɜːs
renna	**reindeer leather**	ˈreindiəˈleðə
valigia	**suitcase**	ˈsuːtkeiz

CALZATURE E RIPARAZIONI

ballerine	**ballet shoes**	ˈbælitˈʃuːz
capretto	**kid**	ˈkid
cuoio grasso	**supple leather**	ˈsʌpəlˈleðə
mocassini	**moccasins**	ˈmɒkəsin
pantofole	**slippers**	ˈslipəz
sandali	**sandals**	ˈsændəlz
scarpe da ginnastica	**gym shoes**	ˈdʒimˈʃuːz
scarponi	**boots**	ˈbuːts
soprascarpe	**overshoes**	ˈəuvəʃuːz
stivali/etti	**boots**	ˈbuːts
suola	**sole**	ˈsəul
di corda	**rope sole**	ˈrəupˈsəul
di cuoio	**leather sole**	ˈleðəˈsəul
di gomma	**rubber sole**	ˈrʌbəˈsəul
di para	**grip sole**	ˈgripˈsəul
tela	**canvas**	ˈkænvəs
tomaia	**upper**	ˈʌpə
vacchetta	**cowhide**	ˈkauhaid
vernice	**patent leather**	ˈpeitəntˈleðə
vitello	**calf**	ˈkaːf
zoccoli	**clogs**	ˈklɒgz

Vorrei provare quelle scarpe in vetrina.
I'd like to try on those shoes in the window.

Vorrei un paio di scarpe comode/ eleganti/ robuste.
I'd like a pair of comfortable/elegant/hard-wearing shoes.

Le vorrei con il tacco alto/basso.
I'd like them with a high/low heel.

Porto il … italiano.
I am Italian size … .

Sono strette/larghe.
They are too narrow/wide.

Mi fanno male.
They hurt me.

Vorrei provare la misura sopra/sotto.
I'd like to try a bigger/smaller size.

Ha lo stesso modello su una forma più larga/stretta?
Have you got the same model with a broader/narrower mould?

Avete le mezze misure?
Have you got any half sizes?

Ha anche altri colori?
Have you got any other colours?

È vero cuoio?
Is it real leather?

Vorrei del lucido da scarpe/dei lacci.
I'd like some shoe polish/some shoelaces, please.

Può lucidarmi/ ricucirmi /ripararmi/risuolarmi le scarpe?
Can you shine/sew up/repair/put new soles on my shoes for me?

Vorrei rifare i tacchi.
I'd like them reheeled, please.

Quando saranno pronte?
When will they be ready?

ALIMENTARI

Attenzione: anche all'estero, sui prodotti alimentari devono essere indicate sia la data entro la quale si consiglia di consumare preferibilmente il prodotto che quella di scadenza:

Best before … .
Da consumarsi preferibilmente entro il … .

Expiry date …
Scade il … .

Inoltre, sui prodotti ci possono essere importanti raccomandazioni come le seguenti:

Store in the refrigerator.
Conservare in frigorifero.
Consume within ... days after opening.
Prodotto da consumarsi entro ... giorni dall'apertura
Do not thaw before use.
Non scongelare prima dell'uso.

Qui di seguito elenchiamo alcune espressioni concernenti perlopiù la preparazione, la confezione e la presentazione della merce, alcune delle quali presenti sulle etichette dei prodotti, in modo da mettervi in grado di stabilire se il prodotto stesso è affidabile o meno. Per l'elenco dei cibi e delle bevande, si deve fare riferimento al lessico della situazione Alimentazione, nell'area 3, dovê si trovano specificati anche i vari tagli della carne. Infine, per quanto riguarda pesi e misure di capacità, essi sono elencati nell'Area 1.

aromi naturali	**natural flavouring**	'nætʃərəl 'fleivəriŋ
barattolo	**jar**	'dʒa:
caffè	**coffee**	'kɒfi
in grani	**coffee beans**	'kɒfi'bi:nz
macinato	**ground coffee**	'graund'kɒfi
confezionato	**packaged c.**	'pækidʒd
conservanti/	**preservatives/**	prizɜ̀:vətivz
senza conservanti	**no preservatives**	nəu prizɜ̀:vətivz
dadi per brodo	**stockcubes**	'stɒkju:bz
essiccato	**desiccated**	'desikeitid
farina	**flour**	'flauə
di grano	**wheat flour**	'hwi:t
di mais	**maize flour**	'meiz
di soia	**soya flour**	'sɔiə
integrale	**wholemeal flour**	'həulmi:l
fetta	**slice**	'slais
latte	**milk**	'milk
intero	**full cream milk**	'fulkri:m'milk
pastorizzato	**pasteurized m.**	'pa:stjəraizd'milk
parz. scremato	**semi-skinned m.**	'semi-skind'milk
scremato	**skimmed milk**	'skind'milk
UTH	**long life milk**	'lɒŋlaif'milk
lievito	**yeast** (vivo)/**baking powder** (chimico)	ji:st /'beikiŋ'paudə
liofilizzato	**freeze-dried**	'fri:zdraid
precotto	**pre-cooked**	prikú:t
scatoletta	**tin**	'tin
sfuso	**unpackaged**	ʌnpǽkidʒd
sotto sale	**salted**	'sɔ:ltid
sotto vuoto	**vacuum-packed**	'vækjuəm -'pækt
surgelato	**frozen**	'frəuzən

Dove si trova un negozio ...
Where is there a ...
... di alimentari/di macelleria?
... grocer's/butcher's?
... di specialità gastronomiche?
... gourmet shop?
... di prodotti dietetici e per diabetici?
... shop selling diabetic and dietetical products?

Quanto costa un chilo di ... ?
How much is a kilo of ... ?

Vorrei ...
I'd like ...
... del pane.
... some bread.
... due bistecche di manzo.
... two beefsteaks.
... mezzo chilo di fettine di vitella.
... half a kilo of veal cutlets.
... un barattolo di pelati.
... a tin of peeled tomatoes.
... un chilo di patate.
... a kilo of potatoes.
... un etto di prosciutto.
... a hundred grammes of ham.
... un litro di latte.
... a litre of milk.
... un vasetto di marmellata.
... a jar of marmalade/jam.
... una bottiglia di birra.
... a bottle of beer.
... una fetta sottile/spessa di pancetta.
... a thin/thick rasher of bacon.
... una porzione di frittata.
... a portion of omelette.
... una scatoletta di tonno.
... a tin of tuna fish.

Is that everything?
Basta così?
We are out of it.
L'abbiamo terminato.
Do you want anything else?
Vuole altro?

Fate panini?
Do you do sandwiches?

Un panino con ... .
A sandwich with ... .

È fresco?
Is it fresh?
Posso servirmi da solo?
Can I help myself?
Mi dà un sacchetto?
Would you give me a bag, please?

CASALINGHI, STOVIGLIE E UTENSILI

accendigas	**gas-lighter**	ˈgæslaitə
apribottiglie	**bottle opener**	ˈbɒtəl ˈəupənə
apriscatole	**tin opener**	ˈtinˈəupənə
cacciavite	**screwdriver**	ˈskru:draivə
candele	**candle**	ˈkændəl
cavatappi	**corkscrew**	ˈkɔ:kskru:
cassetta degli attrezzi	**toolbox**	ˈtu:lbɒks
chiodo	**nail**	ˈneil
coltello	**knife**	ˈnaif
detersivo	**detergent**	ditɜ́:dʒənt
da bucato	**washing detergent**	ˈwɔʃiŋ ditɜ́:dʒənt
da lavastoviglie	**dishwasher d.**	ˈdiʃwɔʃ ditɜ́:dʒənt
da lavatrice	**automatic washing d.**	ˌɔ:təmætikˈwɔʃiŋ ditɜ́:dʒənt
da piatti	**washing up d.**	ˈwɔʃiŋ ʌp ditɜ́:dʒənt
fiammiferi da cucina	**household matches**	ˈhaushəuldˈmætʃiz
forbici	**scissors**	ˈsizəz
grattugia	**grater**	ˈgreitə
guanti di plastica	**plastic gloves**	ˈplæstikˈgləuvz
martello	**hammer**	ˈhæmə
mollette da bucato	**clothes pegs**	clɒθsˈpegz
nastro adesivo	**sticky tape**	ˈstikiteip
nastro isolante	**insulating tape**	ˈinsjuleitiŋˈteip
padella	**frying pan**	ˈfraiŋˌpæn
paletta per la spazzatura	**dustpan**	ˈdʌstpæn
pattumiera	**dustbin**	ˈdʌstbin
piatti/bicchieri di carta	**paper plates/ glasses**	ˈpeipəˈpleits / gla:siz
scolapasta	**colander for pasta**	ˈkoləndə fɔ:ˈpæstə
scopa	**broom**	ˈbru:m
sacchetti per la spazzatura	**rubbish bags**	ˈrʌbiʃˈbægz
secchio	**bucket**	ˈbʌkit
sedia a sdraio	**deck chair**	ˈdektʃeə

straccio per pavimenti	**floor cloth**	'flɔ:klɒθ
sveglia	**alarm clock**	əlá:m'klɒk
tappo	**cork/cap**	'kɔ:k / 'kæp
teglia	**baking pan**	'beikiŋ'pæn
temperino	**pen-knife**	'pen'naif
tenaglie	**pliers**	'plaiəz
thermos	**thermos flask**	'θɜ:mɒs'flæsk
tovaglioli di carta	**paper napkins**	'peipə'næpkinz
viti	**screws**	'skru:s

ELETTRICITÀ, ELETTRODOMESTICI

antenna	**aerial**	'eəriəl
aspirapolvere	**vacuum cleaner**	'veikjuəm'kli:nə
batteria (pila)	**battery**	'bætəri
calcolatrice	**calculator**	'kælkjuleitə
ferro da stiro (portatile)	**iron (travelling)**	'aiən 'træ:vəliŋ
forno microonde	**microwave oven**	'maikrəweiv'əuvən
frigorifero	**refrigerator**	rifridʒəréitə
frullatore	**blender**	'blendə
lampada	**lamp**	'læmp
lampadina	**light bulb**	'laitbʌlb
lavastoviglie	**dishwasher**	'diʃwɔ:ʃə
lavatrice	**washing machine**	'wɔ:ʃiŋ məʃí:n
presa multipla	**multiple socket**	'mʌltipəl'sɔ:kit
prolunga	**extension lead**	ikstén∫n'led
radiosveglia	**radio alarm clock**	'rædiəu əlá:m 'klɒk
rasoio elettrico	**eletric razor**	'ilektrik'reizə
registratore	**cassette recorder**	'kæsət rikɔ́:də
spina	**electric plug**	'ilektrik'plʌg
televisore	**television set**	ˌteləviʃn'set
– a colori	**colour t.s.**	'kɒləˌteləviʃn'set
– in bianco e nero	**black and white television set**	'blæk ənd'hwait ˌteləviʃn'set
portatile	**portable t.s.**	'pɔ:təbəlˌteləviʃn'set
tostapane	**toaster**	'təustə
videocamera	**videocamera**	'vidiəukæmərə
videocassetta	**videocassette**	'vidiəukæsət
videogioco	**videogame**	'vidiəugeim
videoregistratore	**videorecorder**	'vidiəurikɔ:də

DISCHI, STEREOFONIA E ALTA FEDELTÀ

amplificatore	**amplifier**	'æmplifaiə
autoradio	**car radio**	'ka:'rædiəu

casse/cuffie stereofoniche	**stereo loudspeakers/earphones**	ˈsteriəu ˈlaudspiːkəz /ˈiəfəunz
cassetta	**cassette**	ˈkæsət
disco	**record**	rikɔ́ːd
giradischi	**record player**	rikɔ́ːd ˈpleiə
lettore di CD	**CD player**	sidiˈpleiə
radio portatile	**portable radio**	ˈpɔːtəbəlˈreidiəu
registratore	**recorder**	rikɔ́ːdə
stereo	**stereo**	ˈsteriəu

Vorrei ... pile come queste.
I'd like ... batteries like these.

Come funziona?
How does it work?

Quanto dura la garanzia?
How long is the guarantee for?

Qual è il voltaggio? È necessario un trasformatore?
What is the voltage? Do I need a transformer?

Vorrei un adattatore per una spina italiana.
I'd like an adaptor for an Italian plug.

Può indicarmi un riparatore radio-TV?
Can you suggest a radio and TV repairers?

Credo che questo ... sia rotto, può ripararlo?
I think this ... is broken. Could you repair it?

È in garanzia.
It is under guarantee.

It cannot be repaired.
Non si può riparare.

It's not worth repairing it, because it will cost ... .
Non le conviene ripararlo, perché spenderà ... .

It will be ready on Friday.
Sarà pronto per venerdì.

Avete dei dischi/delle cassette di musica classica/folk/leggera/jazz?
Have you got any classical/folk/pop/jazz music records/cassettes?

LIBRERIA, EDICOLA

Dove si trova una libreria?
Where can I find a bookshop?

Può indicarmi un negozio di stampe e incisioni?
Can you tell me where there is a shop for prints and engravings?

Conosce una libreria antiquaria?
Do you know an antiquarian bookshop?

Vorrei la carta automobilistica di … .
I'd like a road map of … .

Vorrei la cartina di … .
I'd like a map of … .

Vorrei una guida turistica di … in italiano.
I'd like a tourist guide to … in Italian.

Vorrei un libro su … con belle illustrazioni.
I'd like a book on … with nice pictures.

Vorrei un dizionario italiano/inglese.
I'd like an Italian/English dictionary.

Avete libri/giornali in italiano?
Do you keep books/newspapers/periodicals in Italian?

Avete poster/locandine?
Do you keep posters/theatre bills?

Avete un notiziario con il programma degli spettacoli?
Have you got a news-sheet of the entertainments on?

CARTOLERIA E ARTICOLI DA DISEGNO

album da disegno	**sketch pad**	ˈsketʃpæd
bloc notes	**note pad**	ˈnəutpæd
buste	**envelopes**	ˈenvələps
carboncino	**charcoal**	ˈtʃaːkəut
carta	**paper**	ˈpeipə
carbone	**carbon paper**	ˈkaːbənˈpeipə
da imballo	**wrapping paper**	ˈræpiŋˈpeipə
da lettere	**writing paper**	ˈraitiŋˈpeipə
da regalo	**gift wrapping p.**	ˈgiftˈræpiŋˈpeipə
cartolina	**postcard**	ˈpəustkaːd
china	**Indian ink**	ˈindiənˈiŋk
colla	**glue**	ˈgluː
colori	**paints**	ˈpeints
a olio	**oil paints**	ˈɔilˈpeints
a tempera	**tempera paints**	ˈtempərə ˈpeints
crilici	**acrylic paints**	əkrˈilikˈpeints
ad acquerello	**water colours**	ˈwɔːtəkɒləz
elastici	**elastic bands**	ˈilestikˈbændz
etichette	**labels**	ˈleibəlz
evidenziatore	**highlighter**	ˈhailaitə
fogli da disegno	**sheets of drawing paper**	ˈʃiːts ɒvˈdrɔːiŋˈpeipə
graffetta	**staple**	ˈsteipəl
gomma	**rubber**	ˈrʌbə

5.4 ACQUISTI E SHOPPING

inchiostro	**ink**	ˈiŋk
lapis	**pencil**	ˈpensəl
mine	**pencil leads**	ˈpensəlˈledz
matita	**crayon**	ˈkreiən
nastro macchina da scrivere	**typewriter ribbon**	ˈtaipraitə ˈribən
pastelli	**pastels**	ˈpæstəlz
penna	**pen**	ˈpen
biro	**biro**	ˈbaiərəu
stilografica	**fountain pen**	ˈfauntin pen
pennarello	**felt tipped pen**	ˈfeltˈtipt pen
pennello	**brush**	ˈbrʌʃ
portamine	**propelling pencil**	prəpéliŋˈpensəl
puntine	**drawing pins**	ˈdrɔ:iŋˌpins
quaderno	**exercise book**	ˈeksəsaiszˈbuk
a quadretti	**e.b. with squared paper**	wiðˈskweədˈpeipə
a righe	**e.b. with lined paper**	wiðˈlaindˈpeipə
ricambio (*per biro*)	**refill**	rifìl
righello	**ruler**	ˈru:lə
spago	**string**	ˈstriŋ
squadra	**set-square**	ˈset-skweə
taccuino	**notebook**	ˈnəutbu:k
temperamatite	**pencil sharpener**	ˈpensəlˈʃa:pənə
tela	**canvas**	ˈkænvəs
tubetto di colore	**tube of paint**	ˈtju:b ɒvˈpeint

LAVANDERIA E STIRERIA

lavaggio a mano	**hand washing**	ˈhændˈwɔ:ʃiŋ
a secco	**dry cleaning**	ˈdraiˈkli:niŋ
ad acqua	**washing**	ˈwɔ:ʃiŋ
lavanderia a gettone	**laundrymat**	ˈlɔ:ndrimæt

Vorrei far lavare a secco questo vestito.
I'd like to have this dress/suit dry cleaned.

It will have to be washed.
È necessario lavarlo ad acqua.

Vorrei far stirare questa gonna.
I'd like to have this skirt pressed.

È una macchia di … .
It's a/an … stain.

This stain won't come out.
Questa macchia è indelebile.

È un capo delicato.
It is a delicate garment.
Fate rammendi invisibili?
Do you do invisible mending?
Per quando sarà pronto?
When will it be ready?
Mi occorre prima di … .
I need it before … .
Questo capo non è mio.
This garment isn't mine.
Qui c'è un buco.
There's a hole here.

OROLOGERIA, GIOIELLERIA E BIGIOTTERIA

alabastro	**alabaster**	æləbá:stə
ambra	**amber**	ˈæmbə
ametista	**amethyst**	ˈæmiθist
argentato	**silver plate**	ˈsilvəpleit
argento	**silver**	ˈsilvə
avorio	**ivory**	ˈaivəri
corallo	**coral**	ˈkɒrəl
cristallo	**crystal**	ˈkristəl
diamante	**diamond**	ˈdaimənd
giada	**jade**	ˈdʒeid
lacca	**lacquer**	ˈlækə
laminato	**laminate**	ˈlæmineit
madreperla	**mother of pearl**	ˈmʌðə ɒv peəl
onice	**onyx**	ˈɒniks
oro	**gold**	ˈgəuld
oro bianco	**white gold**	ˈhwaitgəuld
perla	**pearl**	ˈpeəl
pietra dura	**semi-precious stone**	ˈsemi-priʃəsˈstəun
placcato	**plated**	ˈpleitid
platino	**platinum**	ˈplætinəm
quarzo	**quartz**	ˈkwɔ:ts
rame	**copper**	ˈkɒpə
rubino	**ruby**	ˈru:bi
smalto	**enamel**	ˈinæməl
smeraldo	**emerald**	ˈemərəld
topazio	**topaz**	ˈtəupæz
turchese	**turquoise**	ˈtɜ:kwɔiz
vetro	**glass**	ˈgla:s
zaffiro	**sapphire**	ˈsæfaiə

5.4 ACQUISTI E SHOPPING

cinturino di	**strap**	'stæp
acciaio	**steel bracelet**	'sti:l'breislit
oro	**gold bracelet**	'gəuld'breislit
coccodrillo	**crocodile strap**	ˌkrɒkədáil 'stræp
pelle	**leather strap**	'leðə 'stræp
carica	**winding**	'waindiŋ
cassa	**case**	'keiz
cronometro	**chronometer**	krənɒ́mitə
lancetta	**hand**	'hænd
movimento	**movement**	'mu:vmənt
automatico	**automatic m.**	ˌɔ:təmǽtik'mu:vmənt
al quarzo	**quartz movement**	'kwɔ:ts'mu:vmənt
orologio	**watch/clock**	'wɒtʃ /'klɒk
da polso	**wrist watch**	'ristwɒtʃ
a pendolo	**pendulum clock**	'pendjuləm 'klɒk
da muro	**wall clock**	'wɔ:l'klɒk
quadrante	**dial**	'daiəl
con datario	**d. with calender day**	wið'kæləndə'dei
con calendario	**d. with date**	wið'deit
sveglia	**alarm clock**	əlá:m'klɒk
accendino	**cigarette lighter**	ˌsigərét'laitə
anello	**ring**	'riŋ
astuccio	**jewellery case**	'dʒu:əlri 'keiz
braccialetto	**bracelet**	'breislit
cammeo	**cameo**	'kæmiəu
castone	**setting**	'setiŋ
catena	**chain**	'tʃeə
collana	**necklace**	'nekleis
cornice	**photograph frame**	'fəutəgrạ:f'freim
croce	**cross**	'krɒs
fede nuziale	**wedding ring**	'wediŋ'riŋ
fermacravatta	**tiepin**	'taipin
medaglia	**medal**	'medəl
montatura	**mounting**	'mauntiŋ
orecchini	**earrings**	'iəriŋz
pendente	**pendant**	'pendənt
portasigarette	**cigarette case**	ˌsigərét'keiz
spilla	**brooch**	'brəutʃ

Mi si è fermato l'orologio. Può ripararlo?
My watch has stopped. Can you repair it, please?

Vorrei cambiare la pila dell'orologio.
I'd like to change the battery in my watch.

Va avanti/indietro di … minuti ogni ora.
It gains/loses … minutes an hour.

Vorrei cambiare il cinturino/il vetro.
I'd like to change the strap/the glass.

Può riparare la sicura di questa collana?
Can you repair the safety catch on this necklace?
Sarà pronto per … .
It will be ready by … .
Vorrei vedere un orologio …
I'd like to see a … watch, please.
… subacqueo/con cronometro.
… subaqueous/stop- …
… di marca/economico.
… good quality/cheap …
Che pietra/materiale è?
What stone/material is it?
Si può avere un'altra montatura?
Can I have another mounting on it?
Ha il certificato di garanzia?
Has it got a certificate of guarantee?
Quanto pesa questo anello?
How much does this ring weigh?
Di quanti carati è?
How many carats is it?
Queste perle sono coltivate?
Are these cultivated pearls?
Può farmele infilare?
Could you have them strung for me?
Vorrei qualcosa di meno costoso.
I'd like something less expensive.

FOTOGRAFIA

autoscatto	**self-timer**	ˈselftaimə
cavalletto	**tripod**	ˈtraipəd
cinepresa	**cine-camera**	ˈsini-ˌkæmərə
diaframma	**aperture**	ˈæpətjụə
esposimetro	**light meter**	ˈlaitˈmitə
esposizione	**exposure**	ikspəủʒə
filtro	**filter**	ˈfiltə
formato	**format**	ˈfo:mæt
fotografia	**photograph**	ˈfəutəgrạ:f
fuoco	**focus**	ˈfəukəs
grandangolo	**wide-angle**	ˈwaidængəl
ingrandimento	**enlargement**	inlá:dʒmənt
inquadratura	**shot**	ˈʃɒt
riavvolgimento	**rewinding**	riwáindiŋ
mirino	**view-finder**	ˈvju:-ˌfaində

negativo	**negative**	'negətiv
obiettivo	**lens**	'lenz
otturatore	**shutter**	'ʃʌtə
posa	**shot**	'ʃɒt
provini	**proofs**	'pru:fs
scatto	**release**	rilí:z
sottoesposto	**underexposed**	ˌʌndəikspəúzd
sovraesposto	**overexposed**	ˌəuvəikspəúzd
stampa su	**printing**	'printiŋ ɒn'peipə
carta	**on … paper**	
– lucida	**… glossy …**	'glɒsi
– opaca	**… matt …**	'mat
sviluppo	**development**	divéləpmənt
tappo obiettivo	**lens cover**	'lenz'kəuvə
teleobbiettivo	**telephoto lens**	ˌtelifəutə'lenz

Vorrei una pellicola … per questa macchina.
I'd like a … film for this camera, please.
… in bianco e nero/ a colori …
… black-and-white/colour …
… da 24/36 pose …
… 24/36 shot …
… da 100/200/400/1000 ASA …
… 100/200/400/1000 ASA …
… da … DIN …
… … DIN …
… a grana fine/per luce artificiale/normale …
… fine-grained/an artificial light type/daylight type …

Vorrei un caricatore/un rullino/un dischetto.
I'd like a cartridge/roll-film/diskette.

Questa pellicola è scaduta.
This film has expired.

Vorrei una cassetta da … minuti per questa videocamera.
I'd like a … minute cassette for this videocamera.

Vorrei sviluppare questo rullino di diapositive.
I'd like to have this film-slide roll developed, please.

Vorrei ristampare questi negativi.
I'd like to have these negatives reprinted.

Sono pronte per domani.
They will be ready for tomorrow.

Vorrei vedere una macchina fotografica …
I'd like to see a(n) … camera.
… manuale/automatica.
… manual/automatic …

… a buon mercato/usa e getta.
… cheap/disposable …

Mi può togliere il rullino?
Can you take the film out for me, please?

Può riparare la mia macchina fotografica?
Can you repair my camera?

You will have to leave me the camera for a few days.
Mi dovrà lasciare la macchina per qualche giorno.

It's not worth repairing.
Non le conviene ripararla.

Vorrei fare 4 fototessera.
I'd like to have four passport photos done.

OTTICO

binocolo	**binoculars/ opera glasses**	binɒ́kjuləz /ˈɒpərə ˈglaːsiz
lente d'ingrandimento	**magnifying glass**	ˈmægnifąiŋˈglaːs
lenti a contatto	**contact lenses**	ˈkɒntəktˈlenziz
morbide	**soft c. l.**	ˈsɔːftˈkɒntəktˈlenziz
rigide	**hard c. l.**	ˈhaːd ˈkɒntəktˈlenziz
usa e getta	**disposable c. l. contact lenses**	dispəúzəbəl ˈkɒntəkt ˈlenziz
montatura	**frame**	ˈfreim

Vorrei vedere un paio di occhiali da sole.
I'm looking for a pair of sunglasses.

Vorrei degli occhiali da lettura con lenti da 1 diottria.
I'd like some reading glasses with 1 dioptrie lens.

Ho rotto gli occhiali, è possibile ripararli in poco tempo?
I have broken my glasses. Can I get them repaired quickly?

They will be ready for tomorrow.
Sono pronti per domani.

Mi può allargare/restringere la montatura?
Could you loosen/tighten my frames, please?

Vorrei una lente morbida [marca] con … gradazione.
I'd like a soft (marca**) lens with … graduation.**

Vorrei … per lenti a contatto.
I'd like some … for contact lenses.

… del liquido multiuso …
… multi-use liquid …
… della soluzione salina …
… saline solution …

TABACCHERIA

In alcuni paesi è possibile acquistare francobolli e valori bollati anche in tabaccheria, ma per quanto riguarda questi generi si veda la voce Posta, Area 3.3.

bocchino	**cigarette-holder**	ˌsigərét'həuldə
cartine	**papers**	'peipəz
filtro	**filter**	'filtə
gas/benzina per accendino	**lighter gas/petrol**	'laitə'gæs /'petrəl
nettapipe	**pipe cleaners**	'paip'kli:nə
pipa	**pipe**	'paip
scovolini	**pipe scrape**	'paip'skreip
sigaretta con/ senza filtro	**filter-tipped/ -less cigarette**	'filtə-tipt / 'filtəlisˌsigərét
sigaro	**cigar**	sigá:
tabacco	**tobacco**	təbækəu
da fiuto	**snuff tobacco**	'snʌf təbækəu
da masticare	**chewing tobacco**	'tʃju:iŋ təbækəu
da pipa	**pipe tobacco**	'paip təbækəu
per sigarette	**cigarette tobacco**	ˌsigərét təbækəu

Vorrei …
I'd like …
… un pacchetto/una stecca di … .
… **a packet/a carton of … .**
… dei fiammiferi/un accendino usa e getta.
some matches/a disposable lighter.
… dei sigari.
… **some cigars.**

ARTIGIANATO E PRODOTTI TIPICI

bisquit	**bisque**	'bisk
cartapesta	**papier maché**	'peipəma:ʃə
damaschino	**damask**	'dæməsk
ferro battuto	**wrought iron**	'rɔ:t'aiən
giunco	**rush**	'rʌʃ
maiolica	**majolica**	məjɒ́likə
ottone	**brass**	'bra:s
peltro	**pewter**	'pjutə
pietre dure	**semi-precious stones**	'semi-priʃəs 'stəunz
pizzo	**lace**	'leis
porcellana	**porcelain**	'po:səlein

rame	**copper**	ˈkɒpə
ricami	**embroidery**	imbrɔ́idə
seta	**silk**	ˈsilk
soprammobile	**ornament**	ˈɔːnəmənt
statuina	**statuette**	ˌstætjuét
stampe popolari	**folk posters/prints**	ˈfɔːkˈpəustəz /ˈprints
tappeto	**rug**	ˈrʌg
terracotta	**earthenware**	ˈɜːθənweə
tombolo	**pillow-lace**	ˈpiləuleis
vimini	**wicker**	ˈwikə

Quali sono i prodotti artigianali/gastronomici tipici?
What handicrafts/gastronomical products are typical?
È fatto a mano?
Is it handmade?

DAL FIORAIO

azalea	**azalea**	əzéiliə
begonia	**begonia**	bigəúnjə
bulbo	**bulb**	ˈbʌlb
camelia	**camellia**	kəmíːliə
ciclamino	**cyclamen**	ˈsikləmən
crisantemo	**chrysanthemum**	krisǽnθəməm
fucsia	**fuchsia**	ˈfjuːʃə
gardenia	**gardenia**	gaːdíːniə
garofano	**carnation**	ˈkaːnneiʃn
gelsomino	**jasmine**	ˈdʒæsmin
geranio	**geranium**	dʒəréiniəm
giglio	**lily**	ˈliːli
giunchiglia	**jonquil**	ˈdʒɒnkil
margherita	**daisy**	ˈdeisi
mimosa	**mimosa**	miməúzə
narciso	**daffodil**	ˈdæfədil
orchidea	**orchid**	ˈɔːkid
pianta	**plant**	
da appartamento	**house plant**	ˈplænt
grassa	**succulent plant**	ˈsʌkjuləntˈplænt
da giardino	**garden plant**	ˈgaːdənˈplænt
rosa	**rose**	ˈrəuz
tulipano	**tulip**	ˈtjuːlip
vaso	**pot/vase**	ˈpɒt /ˈveiz
viola	**violet**	ˈvaiəlit

Vorrei …
I'd like …

... un mazzo di ... .
... a bunch of ... .
... dei fiori freschi/di campo.
... (some) fresh/wild flowers.

DECISIONE, CONTRATTAZIONE E PAGAMENTO

Quanto costa?
How much does it cost?

Può scrivermi il prezzo?
Could you write down the price for me?

Non voglio spendere più di ... .
I don't want to spend more than ...

Mi può fare un po' di sconto?
Can you give me a discount?

I'm sorry, but prices are fixed.
Spiacente, i prezzi sono fissi.

There is a 20% discount.
C'è uno sconto del 20%.

It has already been discounted.
È già scontato.

Discount at the cashdesk.
Sconto alla cassa.

È possibile cambiarlo?
Can I change it if necessary?

Only the size can be changed.
È possibile cambiare solo la taglia.

If it has to be changed, keep the cash slip.
Se vuole cambiarlo, conservi lo scontrino.

Articles in the sale cannot be changed.
Gli articoli in liquidazione non si possono cambiare.

DECISIONE NEGATIVA

È troppo caro.
It is too expensive.

No, non è quello che cerco.
No, it is not what I am looking for.

Ripasso più tardi.
I will come back later.

DECISIONE POSITIVA

Va bene, lo prendo.
All right, I will take it.

Può fare un pacchetto regalo?
Can you gift wrap it, please?

Può fare una confezione robusta?
Can you make the packaging very secure, please?

Può farmelo avere in hotel/al mio recapito?
Can you have it delivered to my hotel/address, please?

Può spedirmelo in Italia, a questo indirizzo?
Can you forward it to me in Italy at this address?

I will have to charge you … forwarding expenses.
Dovrò addebitarle … per le spese di spedizione.

No, but I can give you the name of a good forwarding agent.
No, posso indicarle uno spedizioniere di fiducia.

Anything else?
Qualcos'altro?

Please pay at the cash desk.
Paghi alla cassa.

Dov'è la cassa?
Where is the cash desk?

Posso avere la ricevuta/fattura?
Can I have a receipt/the invoice?

Posso pagare con un assegno?
Can I pay by cheque?

I am sorry. We don't accept cheques.
Spiacente, non accettiamo assegni.

Posso pagare con carta di credito, travellers' cheques?
Can I pay by credit card/travellers' cheque?

Posso pagare in lire italiane?
Can I pay in Italian lire?

Please keep the cash slip.
Conservi lo scontrino.

Vorrei cambiare questo articolo, ecco lo scontrino.
I'd like to change this article. Here is the cash slip.

INDICE DI PRONTO IMPIEGO

Finito di stampare nel mese di febbraio 2000
presso Giunti Industrie Grafiche S.p.A.
Stabilimento di Prato